JN110957

高校生・学生もこれでできる！

英語プレゼンのトリセツ

藤代 昇文

日本橋出版

目　次

はじめに

私たちが日常生活を営む上で役立つ技能は、昔では「読み・書き・そろばん」、現代では「読み・書き・ＩＣＴ活用の実践力」とでも言えるのではないだろうか。少し前では考えられなかったスマートフォン等の携帯型ＩＣＴツールの発展には目を見張るものがある。さらに最近ではＡＩ（人工知能）の活用により、スピーカーやＰＣ相手に指示を出したり、会話をしたりすることすらできるようになった。上手くそれらを活用すれば人間の生活は楽になる一方であるが、しかしながら、依然無くしてはならない人間ならではの技能が「コミュニケーション能力」ではないだろうか。相手の言葉や表情等から意図を汲み取り、自らの意思を表現することにより、相手と心が通い合う。このコミュニケーションによる「気持ちや心の交流」は機械任せにできない分野である。この点において、相手のニーズに合わせて話し方や内容を工夫し、自らの意図した行動に導く「プレゼンテーション」は現代の必要不可欠な技能の一つと言える。

「プレゼンテーション」は、以前であればビジネスマンが自社商品を売り込むために、顧客に対して行う商品説明やセールスポイントをまとめた発表のことくらいの認識しか持たれていなかったが、近年様々な分野で注目されるようになった。例えば、商売とは関係のない教育分野でも、課題研究で調査した内容をまとめて他の生徒の前で発表することも「プレゼン」として指導されることが一般的になっている。筆者も近年高等学校等から依頼を受け、プレゼンテーション力向上のための講演会に講師として招かれることも多くなった。

学校現場の教師や生徒たちは「プレゼン」という言葉自体には慣れてきたものの、どのようにして知識を身に付け、自らのプレゼンテーション力をブラッシュアップしていけばよいのか、実に手探り状態にあるというのが実情である。世間一般に出版されているプレゼンテーションに関する書籍を筆者も買い集めてみたが、やはりビジネスシーンを題材にした社会人向けが圧倒的に多い。そこで、高校生や学生に向けた、プレゼンテーション力を高めるための材料となるべく、本書を出版するにいたった。さらに、最近は国際化により、高校生や学生も英語でプレゼンテーションを行う機会が増えてきている。日本語でもプレゼンテーションは難しいが、ましてや英語ではもっと難しいわけであるが、本書では、プレゼンテーションが行えるまでの基礎知識からスライド作り、英語でのプレゼンテーション発表まで参考にできる書籍となるよう工夫した。

アーティスト「西野カナ」氏の代表曲「トリセツ」でお馴染みの「トリセツ」つまり「取扱説明書」のように、気を付けるべき点が列挙されているだけでなく、本書を第一章から順序良く手順を踏んで進めていくと、プレゼンテーション自体への理解、話し方や構成の仕方、英語でプレゼンテーションをする場合の表現の仕方等、高校生や学生でも迷うことなく英語プレゼンテーションができるように編成してある。第一章ではプレゼンテーションそのものの基礎知識について、第二章ではＰＣを用いず紙芝居型でプレゼンテーションを作成する演習、第三章はプレゼンテーションソフトを用いてスライドを作成し、分かりやすく表現する演習、第四章はプレゼンテーションコンテストの企画・実施と評価について触れている。

これから「英語プレゼン」だけでなく、「プレゼン」というものに初めて挑戦しようとしている高校生、大学生、専門学生、またプレゼンテーションを初めて指導する教師の方々等々、様々な方々に本書を活用していただき、プレゼンテーション力向上の一助になれば幸甚である。

令和2年5月10日

藤代 昇丈

本書のトリセツ

本書は高校生や学生も、プレゼンテーションの基礎が分かり、英語でプレゼンテーションを組み立てるための演習ができ、スライド作成のポイントも学べる充実した内容となっている。

本書を活用いただく際の「トリセツ」として、活用のポイントを次に挙げる。

1 プレゼンテーションの基礎知識を第一章でしっかり身に付けよう

第一章は英語のプレゼンテーションに限定せず、日本語で行う場合を含め、広くプレゼンテーション成功のためのポイントを解説している。必ず第一章を理解した上で第二章に進んでほしい。

2 演習に取り組んで力をつけよう

第二章には実際にプレゼンテーション作成のための演習課題が設けられている。最初はモデルプレゼンテーションを他人の前で実演してみることで、話し方のポイントをつかみ、次にグループや個人で、順を追って作成していけるように組み立ててある。演習にしっかり取り組んで力をつけよう。

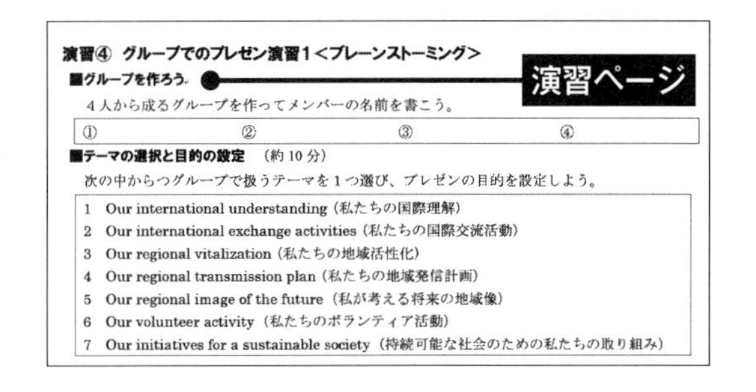

演習④ グループでのプレゼン演習1 <ブレーンストーミング>

■グループを作ろう。

4人から成るグループを作ってメンバーの名前を書こう。

①	②	③	④

■テーマの選択と目的の設定 （約10分）

次の中からつグループで扱うテーマを1つ選び、プレゼンの目的を設定しよう。

1 Our international understanding（私たちの国際理解）
2 Our international exchange activities（私たちの国際交流活動）
3 Our regional vitalization（私たちの地域活性化）
4 Our regional transmission plan（私たちの地域発信計画）
5 Our regional image of the future（私が考える将来の地域像）
6 Our volunteer activity（私たちのボランティア活動）
7 Our initiatives for a sustainable society（持続可能な社会のための私たちの取り組み）

3 記入できるプレゼンフォーマットを活用しよう

プレゼンテーションを組み立てる際のストーリー(導入 ⇒ 本論 ⇒ 結論)作りに活かせるフォーマットを掲載している。記入枠は少し狭いが活用してほしい。

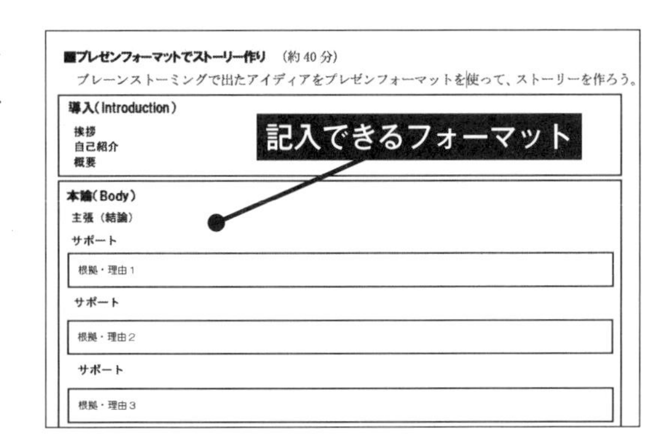

4 役立つ英語表現集を活用しよう

プレゼンテーションでよく用いる英語表現をまとめている。プレゼン原稿作成時に役立ててほしい。

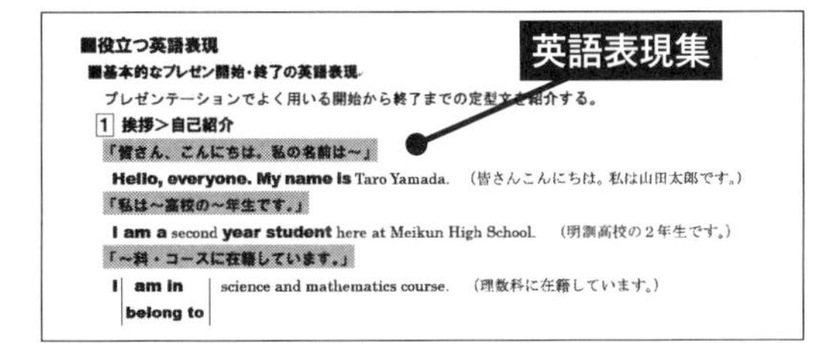

5 スライド作成例を参考にしよう

第三章では主にプレゼンテーションスライドを作成する際の注意点についてまとめている。スライドの作成例も掲載しているので、参考にしてほしい。この章は英語プレゼンテーションだけでなく、日本語でのプレゼンテーション作成時にも参考にしてほしい。

※本書の構成を図示すると右のようになる。本書が皆様のお役に立てることを祈っている。

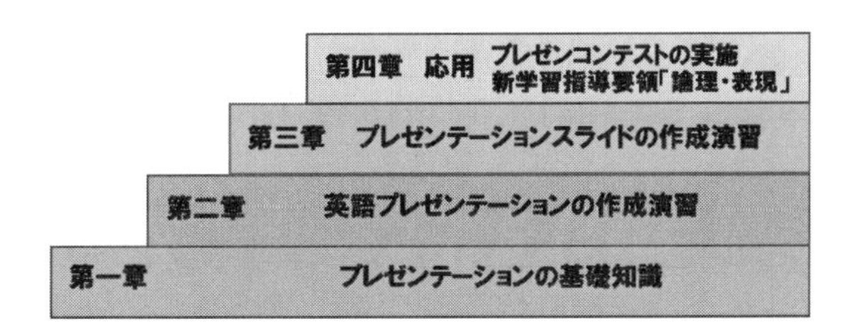

第一章　プレゼンテーションの基礎を学ぼう

❶ 意味を知る：プレゼンテーションとは何か？

最近「プレゼンテーション」という言葉をよく聞くようになった。高校生の皆さんも調べ学習や課題研究の内容をプレゼンスライドにまとめて発表する機会が増えたのではないだろうか。しかし、もともと人前で話すのは苦手だという人や緊張してしまって頭が真っ白になって何をどう話したらよいのか分からなくなるという人も多いのではないだろうか。それが英語で行うということになればなお一層ハードルは上がる。中には「プレゼンテーションをする」ということは「プレゼンスライドを作ること」と誤解し、ひたすらコンピュータと向き合うことばかりに時間を割く人まで出てくる。そもそも「プレゼンテーション」って何だろうか。

英語の“presentation”には「発表、提示」という意味がある。別な名詞で“present”という語があるが、これは「贈り物、プレゼント」という意味である。これらを組み合わせて「プレゼンテーションは聴き手への贈り物」と言う人もいる。相手の好みなどをあれこれ考えて選ぶプレゼントはある意味、聴き手のニーズを踏まえて内容や話し方を慎重に考え組み立てるプレゼンテーションとよく似ている。

例えば、プレゼンテーションが注目されるようになったきっかけでもある2013年にブエノスアイレスで開かれた第125次IOC総会での最終選考国による招致演説を思い出していただきたい。日本からは首相をはじめ東京招致委員会代表者が順々登壇しプレゼンテーションが行われる中、滝川クリステル氏から、あの「お・も・て・な・し」のジェスチャー込みのフレーズが誕生した。多くの人が真似をしたあのジェスチャーである。1回目は手をつぼみのような形にして体の前で1音ずつ置くように向かって左から右に移動させ、2回目は拝むように両手を合わせるジェスチャーをつけた。特徴的に2回繰り返された「おもてなし」という日本語は日本人のみならず、日本語の分からない外国人にも印象的に記憶されるものとなった。ジェスチャーがその語は5音からなる日本語で、東洋的な思想による温かく心のこもった歓迎を表すということを見事に伝えている。まさしく、計算通りの成功したプレゼンテーションと言える。

では、プレゼンテーションはどのように定義づければよいだろうか。国際プレゼンテーション協会(2020)は次のように定義している。

> プレゼンテーションとは、あなたの意見、情報、あるいは、気持ちなどを、言葉と言葉以外の手段を使って、相手の注意を喚起し、興味を沸かせ、理解させ、合意させ、そして、**相手にあなたの意図した行動をとらせること**

つまり、八幡(2016)を参考に図解すると**図1**のようなイメージである。

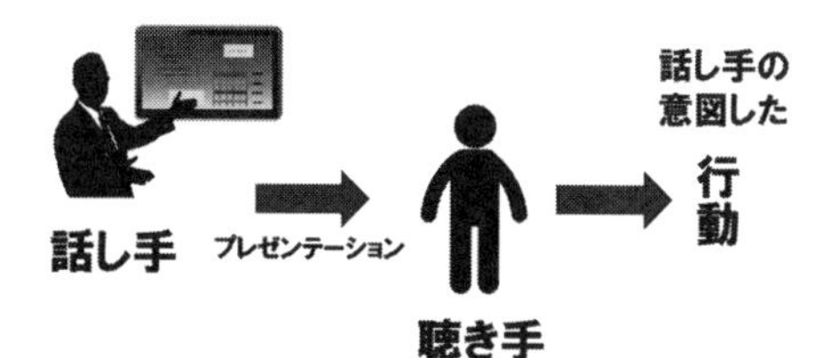

図1：プレゼンテーションのプロセス

プレゼンテーション5つの目的分類

プレゼンテーションはいつも一つの目的のために行っているわけではない。八幡(2016)によると**表1**に示す通り、プレゼンテーションの実施目的に応じて大きく5種類に分類される。

表1：5つの目的分類（八幡，2016）

	分類	主な内容	例
5つの目的	情報伝達	現在や過去の情報を報告する。また、新しい情報やアイディア、データ、事実などを伝達し理解させる等	新商品の特徴や仕様の説明
	説得	聴き手の価値観を変容させ、話し手の意図した行動をとらせる。また価値観の強化、補強により新たな価値観を創造する等	弁護士の弁護のための主張
	儀礼	伝達や説得をするわけでもなく、仲間意識や帰属意識を強固にする等	記念式典での会長挨拶
	エンターテインメント	聴き手を楽しませリラックスさせる等	パーティでの一言挨拶
	モティベート	聴き手の意欲を喚起し、話し手の期待する行動をとらせる等	監督の試合前ミーティングでの激励

前述の例に挙げたオリンピック招致のためのプレゼンテーションは本分類では「説得」に当たると言える。高校生がプレゼンテーションを行う場合の主たる目的は「情報伝達」が多いが、単に伝達し理解してもらえれば目的達成というわけではない。自分が行うプレゼンテーションによって、聴き手に「この情報は役に立つ」と思わせなくてはならない。そのためには「説得」同様、聴き手に情報を理解させた先に最終的にはどのような価値観をもってもらいたいか、どのような行動をとってもらいたいかという「狙い」という意味での目的をあらかじめしっかり設定する必要がある。

プレゼンテーションとスピーチの違い

プレゼンテーションとスピーチはどこが違うのか。あなたなら上手く説明できるだろうか。プレゼンテーションもスピーチも自らの考えや意見を他の人に主張している点では同じである。ただ大きな違いと言えば、前述の定義にあるように**「相手にあなたの意図した行動をとらせること」**がプレゼンテーションの最終的な狙いとなっている点である。オリンピック招致のためのプレゼンテーションでは「東京に１票入れてください」ということが狙いだったわけである。決して無計画に自分の意見を述べることをプレゼンテーションとは呼ばないのである。

また、スピーチは話すだけで、プレゼンスライドを使って発表する方がプレゼンテーションだと答える人がいる。これは大きな勘違いである。かつて、古代ギリシア・ローマの議会演説や裁判での論争などでは自分の声のみを頼りに、聴衆に対して訴えかけ、引きつけ説得し、人を動かしていた。これこそがプレゼンテーションの原型であり、そこに当然スライドなどは存在しなかった。言葉こそが伝達の重要なツールであったため、いかに話すかという演説の技法が発達した。そして生まれたのが「修辞学」である。この修辞学は当時、身振り手振り、発声法を含む言語表現の様式分類であったとされる。このプレゼンテーションスタイルが現代に残っているのが、政治家が街頭でマイクとスピーカーのみで行う街頭演説である。

❷ 対象と目的を意識する：プレゼンテーションは何のために誰のために

対象と目的を明確にする …プレゼンテーションを通して相手に何を求めるのか

あなたは他人と話をする時、どんな話し方をするだろうか。誰に対しても同じ話し方だろうか。例えば、小学生の子どもと話をする時と目上の先生と話をする時とは同じ話し方なのだろうか。恐らく、使用する言葉も、話すテンポも、丁寧さも違うことだろう。プレゼンテーションも同じである。誰に対して、何の目的で行うのかによって話し方やその内容は違ってくるし、違わないとおかしい。

同じ学校で、同じ経験をしている生徒たちの間でプレゼンテーションをするのであれば、一定の共通した背景知識と経験の土台の上で、話せばよいわけで、無駄な前置きは必要なくなるだろう。しかし、全く知らない、しかも年齢層の異なる人々に対してプレゼンテーションをする場合は、聴き手の持っている背景知識や経験が異なるため、最初に何についてのプレゼンテーションで、このような背景に基づいて行うものだという前提条件をはっきりさせる必要があるわけである。ここで大切なのが**「対象は誰か」**である。

次に大切になるのはプレゼンテーションを行う「目的」である。プレゼンテーションを行う対象がはっきりしていたとして、どんな内容を話せばよいのかを決められるだろうか。答えはNOで、まだ十分ではない。つまり、クラスの中

でプレゼンテーションをする場合、そのプレゼンテーションを聞いて、聴き手にクラス美化について考えるようになってもらいたいのか、交通マナーについて行動変容を促そうとしているのか、クラス運営について問題意識を持ってもらい、意見を引き出したいのか、期待する聴き手の反応によって、プレゼンテーションは全く違うものになるのである。大切なのは、これから行うプレゼンテーションは**「何を目的にしているのか」**である。

必要な事前分析 …対象、時間等の条件やニーズを明確に

対象と目的がはっきりしたら、次に大切なことは何であろうか。それは入念な事前準備である。八幡(2016)はプレゼンテーションの基本構造としてピラミッドの頂点に「デリバリー(プレゼンの実施)」、その下に「シナリオ(プレゼンの内容)」、土台部分に「プレゼンテーションの戦略」が来ると説明し、それを「成功のピラミッド」と呼んでいる(**図2**)。つまり、プレゼンテーションを成功させるためには、プレゼンテーションをいかに進めるか**事前にじっくり戦略を練ることが必要不可欠**であることを述べている。

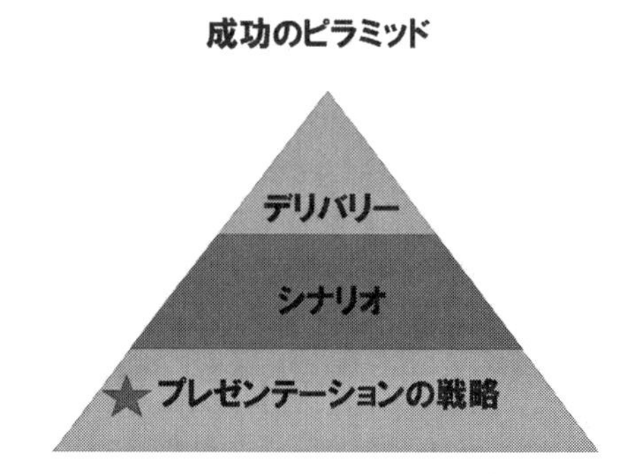

図2：プレゼンテーションのプロセス

では、事前に知っておかなければならない情報、理解しておかなければいけない事項とは何であろうか。それを考える際、対戦競技のスポーツを例にとって考えてみるとよい。例えば、あなたのバスケットボールチームが今週末「B高校」という強豪チームと対戦するとして、あなたならどんな準備をするだろうか。自主練習は当たり前に行うとして、恐らく相手チームである「B高校」のプレイスタイルや核となる選手の動き、特定のプレイの傾向がないか等、過去の試合映像などを見て細かく分析し、対策を立ててから試合に臨むはずである。プレゼンテーションも全く同じである。「聴き手」という相手があって成り立っ

ている。「聴き手はどんな人で、何を求めているのか」等を事前によく調べ、分析し、対策を立てる。このことこそ有効なプレゼンテーション成功のためのカギなのである。

八幡(2016)はこの事前分析を「3P分析」と呼んでいる。3つのPとは**図3**に示す通り、**“People”(聴き手)**、**“Purpose”(目的/目標)**、**“Place”(場所/環境)**のことである。

また浅井(2005)は**「プレゼンテーション準備の5W3H」**として、**図4**に示す8項目を挙げている。「あー、もう少し準備しておけばよかった」と後で後悔しないように、事前にこれらの項目を明確にしておこう。

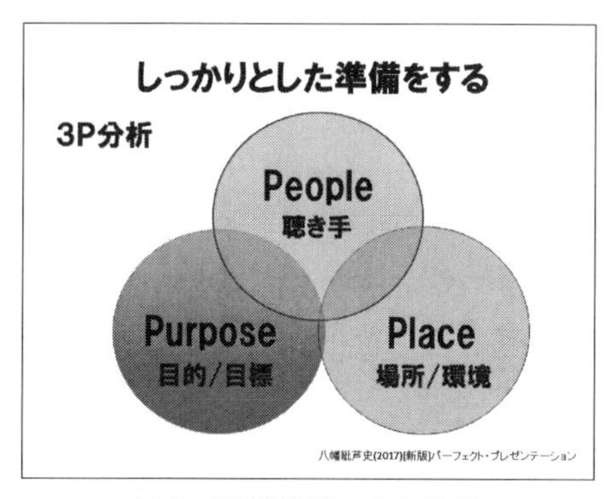

図3:事前準備の3P分析

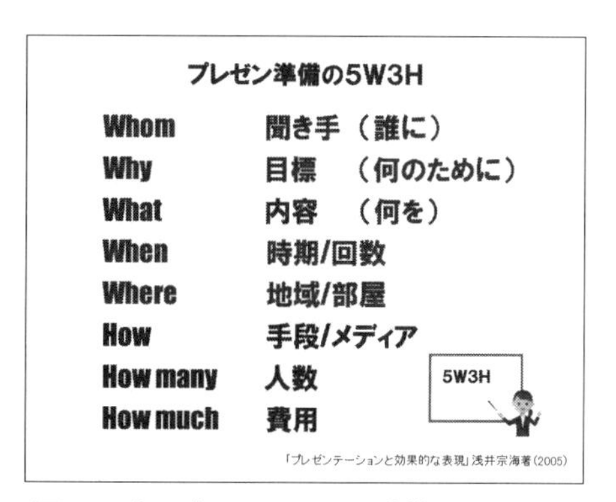

図4:プレゼンテーション準備の5W3H

❸ 大切な要素を知る：プレゼンテーション成功のための３要素

何事も大切なことを列挙する場合、３要素で示されることが多い。今回プレゼンテーション成功のための３要素として、３種類の３要素について説明する。

「ロゴス（logos）」「パトス（pathos）」「エトス（ethos）」

プレゼンテーションの基本を作ったのは、アリストテレス（紀元前384年～紀元前322年）の「弁論術（Art of Rhetoric）」と言われており（竹村，2014）、その中でプレゼンテーション成功の要素として「ロゴス」「パトス」「エトス」の３つが挙げられている。

簡単に説明すると、「ロゴス」はlogic（論理）のことで**「論理的な展開」**を意味し、「パトス」とはpassion（情熱、熱意）のことで、**「話し手と聴き手の感情のコントロール」**を意味する。また、「エトス」とはethics（倫理性）のことで**「話自体に首尾一貫した哲学があること」**を意味している。特に、アリストテレスは「エトス」、「パトス」、「ロゴス」の順に大切だとしている（竹村，2014）。これらの３要素を持ってプレゼンテーションに臨みたいものである。

「伝える方法」「伝える内容」「伝える順序」

プレゼンの基本構造として重要な３要素は、「伝える方法」「伝える内容」「伝える順序」である（八幡，2016）。

まず**「伝える方法」**とは**言語・非言語の方法を駆使しながら「いかに相手に伝えるか」**という話し方や身振り、手振りを含めた伝達方法のことを指す。

「伝える内容」は文字通り、伝達する内容、話の中身のことである。この内容は前項で述べたが、**対象や目的に合わせ**

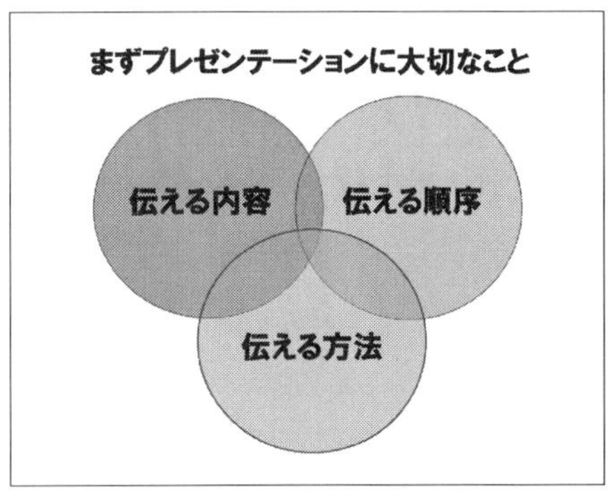

図５：プレゼンテーションに大切な３要素

た分かりやすく、明解なものが望まれる。

「伝える順序」については、同じ内容でもどの順序で相手に伝えるかで理解度や興味、関心の度合いに違いが生まれるように、**「いかに効果的な順序で内容を伝えるか」**のことである。

これらの３要素がうまく組み合うことでプレゼンテーションは分かりやすいものになる（**図５**）。

「意見」「事実」「感情」

前項の「伝える内容」を考える上で、大切な３要素が「意見」「事実」「感情」である（八幡，2016）（**図６**）。ある事柄について、聴き手に意識を変えてもらいたくてプレゼンテーションをする際、自分の思い（意見）ばかりを述べてしまうことはないだろうか。「私はこう思う」という自分の意見なくしてプレゼンテーションは始まらないが、そればかりでは聞いている方は「なんで？」というクエスチョンマークばかりが頭の中に浮かび、モヤモヤしたまま聞き続けることになり、イライラから話を聞かなくなってしまうということになりかねない。意見を述べる際、必ずその根拠となる「事実」が伴わなければならず、その事実による証明という支えによって聴き手の納得が得られることになる。

また、それらの「意見」と「事実」を淡々と述べるよりは、話し手の熱意や真剣さという気持ちが伝わってこそ聴き手は気持ちよくプレゼンテーション内容を理解し、納得できるわけである。もちろん「感情」はプレゼンテーション原稿の文字そのものには表れないが、言葉選びや事例の選択などに表れるもので、伝える対象が人間である以上、アリストテレスが「パトス」として重要視した、この気持ちの面を除いてはプレゼンテーションを考えることはできない。

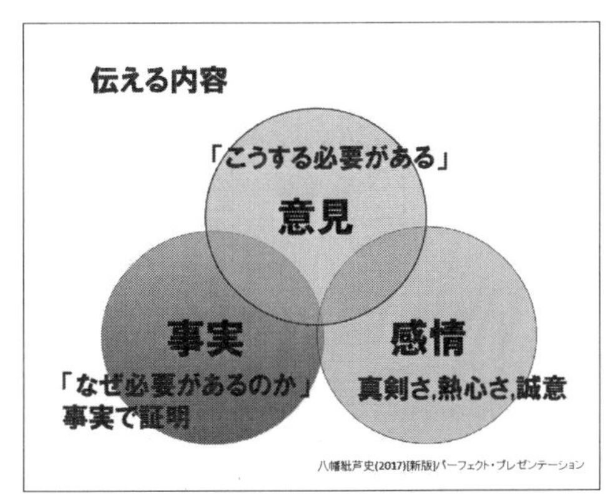

図６：「伝える内容」に大切な３要素

❹ 方法を考える：伝えたいことをいかに伝えるか

伝達手段と伝える技術：言語と非言語による伝達、表現方法

前項で解説したプレゼンテーション成功のための３要素の内、「伝える方法」について見ていこう。「伝える方法」すなわち「伝えたいことをいかに伝えるか」を考える際、様々な伝達手段が考えられる。大きく分けると**図７**に示すように言語（verbal）と非言語（non-verbal）の伝達に分類され、それぞれについて配慮すべき点、つまり「伝える技術」がある。また、プレゼンテーションソフトなどの補助ツールを使用して伝達する場合の表現方法もあり、第三章で解説する。

言語	**「声量」「発音」「音節と強勢」「強調」「抑揚」「リエゾン」「間の取り方」**
非言語	**「姿勢」「しぐさ」「服装」「アイコンタクト」「ジェスチャー」「立ち位置」「顔の表情」**

図７：言語と非言語による伝達と配慮すべき点

違いを生み出すデリバリー技術

デリバリーという言葉を聞くと、ピザなどの「配達」をイメージしがちであるが、“deliver”という語には「（演説などを）する」という意味があり、プレゼンテーションの場合も実際に壇上で話す場合の運用技術のことを「デリバリー

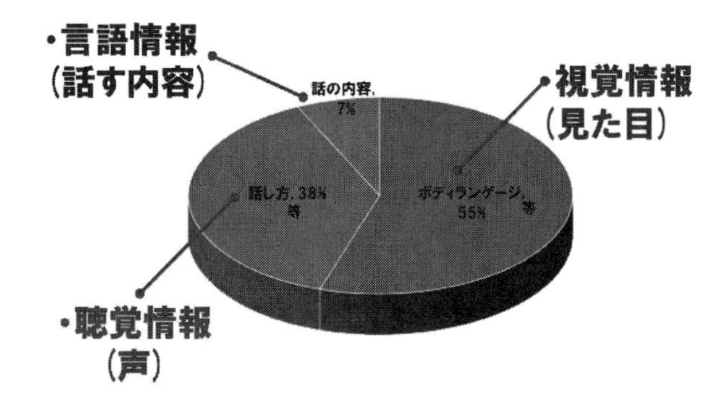

図８：メラビアンの実験結果

(delivery)技術」と言う。

では、どの面に配慮すればプレゼンテーション力が伸びるのだろうか。この点について考える上で興味深い数字がある。皆さんは**「メラビアンの法則」**を知っているだろうか。アメリカの心理学者のアルバート・メラビアンが実験を行い、話し手と聴き手の一対一のコミュニケーションにおいて、話し手の熱心さや誠実さを話し手のどのようなところから感じたかを調べた。その結果、**図8**に示す通り、話の内容(7%)よりもボディランゲージ等の視覚情報(55%)や話し方等の聴覚情報(38%)といったデリバリー技術の方からよく伝わるということが分かった(浅井, 2005)。

あなたのプレゼンテーション力に違いを生み出すデリバリー技術について、非言語の視覚情報面から見ていこう。

■ 違いを生み出すデリバリー技術(非言語)

「姿勢」「しぐさ」「服装」「アイコンタクト」「ジェスチャー」
「立ち位置」「顔の表情」等

ポイント① 姿勢・しぐさ・服装

●姿勢

＜背筋を伸ばす＞

人前に立つと恥ずかしさから猫背になったり、下を向きがちになったりするものだが、堂々と胸を張り、背筋を伸ばすと印象はぐっと良くなる。

＜聴き手の方を向く＞

プレゼンスライドを提示する際に起こりがちだが、スクリーンの方を向き、聴き手に背中を向けて話す人を多く見かける。話し手の顔の見えないプレゼンテーションは説得力を欠くため、一度スクリーンを向いても、聴き手の方に向き直ってから話すようにしよう。

＜肩幅に足を開いて立つ＞

腹から声を出すためどっしりと両足に体重をかけて安定した立ち方をし、

少し肩幅程足を開いて立つ。ただし、場合によってはだらしなく見えることもあるので注意が必要である。

<前後・左右に揺れない>

緊張していると通常はしない動きをしてしまうものである。気が付かないうちに前後や左右に揺れないように気をつけよう。聴き手はそのような動きが気になって話に集中できないものである。

●しぐさ

<手元で何かを触りながら話さない>

手元にあるペンをカチカチ鳴らしながら話したり、服のボタンをハメたり外したりしながら話す人を見かけたことがないだろうか。口癖と同じで、恐らく本人も誰かに指摘されるまで気が付いていないことが多い。無意識に行っている癖がないか他人に教えてもらおう。

<顔や髪を頻繁に触らない>

不安から自分の顔や髪を触ってしまうこともあるだろう。一度や二度なら気にならないが、頻繁になると聴き手は気になるものである。話に集中してもらうために緊張した際に出てしまうしぐさは意識的に抑えるようにしよう。

●服装

<身だしなみを整える>

高校生の人で服装・頭髪検査の際にいつも注意される人はいないだろうか。制服を着崩していたり、スカート丈が短すぎたりしていないだろうか。また、眉毛を細くし過ぎていたり、不快感を与えるような頭髪になったりしていないだろうか。制服のある高校生に限らず、服装や頭髪は聴き手の印象を左右する。プレゼンテーションの前に鏡で身だしなみをチェックしよう。

ポイント② アイコンタクト

<聴き手を向いている時に話す>

「姿勢」の項目でも述べたが、スライドの方ばかり向き、聴き手に背中を向けたままで話さず、必ず聴き手を向いて話すように心がけよう。

<満遍なく全員を見る>

プレゼンテーションをする際は、誰か特定の一人ばかりを見て話すのではなく、その部屋の聴き手全員を見渡すように話すようにしよう。

<目線を配ろう>

「目線を配る」とは「手前右⇒手前中央⇒手前左⇒中間左⇒中間中央⇒中間右⇒後方右⇒後方中央⇒後方左」というように順番に目線を移動させ部屋全体とアイコンタクトを図ることである（**図9**）。聴き手にとって話し手の目線が配られるということは、「話し手が自分の存在を認識してくれている」「自分も含まれている」という感覚をもつことを意味する。これにより聴き手と話し手の人間関係の確立（ラポール）が発生する（浅井, 2005）。従って、目線の配られない場所の人は「自分は関係ない」と思い、居眠りをしたりすることになる。

図9：目線の配り方

<数秒間アイコンタクトを維持する>

アイコンタクトとは目線を聴き手に合わせることを意味するが、実際、聴き手の目を見つめてしまうと、頭が真っ白になって話すことを忘れてしまうこともあるため、なんとなく焦点を合わせないでその人の方を見るという程度でよい。そして1箇所のアイコンタクトを数秒間維持するようにしよう。

●アイコンタクトのメリット

アイコンタクトは次の4点あると言われている（浅井，2005）。

① 聴き手の反応を把握する
② 親近感、一体感を築く
③ 聴き手に注目させる
④ 話し手の熱意を伝える

ポイント③ ジェスチャー

言葉によらない非言語（ノンバーバル）コミュニケーションの代表的なものに身振り、手振り、つまりジェスチャーがある。ジェスチャーも話の内容と合わせて意図的に用いると非常に効果的である。

他人と話をしているとよく手が動く人がいる。時に歓迎を表す意味で手を大きく広げたり、声が小さくて聞こえない時は、耳に手を当てて耳をそばだてる動作をしたりする。これらの動きは、言葉を代理する表象的意味で用いるボディランゲージで、**「エンブレム（表象）」**に分類される（八幡，2016）。

さらに、プレゼンテーションを行っていると、グラフを示したり、数量を示したりすることがある。その際に行う身体的動作は**「イラストレーション」**と呼ばれる例示的な動作である（八幡，2016）。この例示的動作は大きく分けて次の2つに分類される。

1つ目は**「視覚的動作」**と呼ばれる動作である。例えば、右肩上がりのグラフを示す際に、「このように右肩上がりに伸びています。」と言いながら、折れ線グラフにそって右上に向かって腕を伸ばす動作のことである。この動きによって視線はグラフ上の線の右上に向かって誘導され、動きのない折れ線グラフの視覚的情報に動きを付加することができる。

2つ目は**「強調動作」**である。例えば、「注意すべき点が2つあります。」と言

いながら、二本指で２を示す動作のことである（浅井，2005）。このように口頭だけでなく、指でも「２」を示すことで「２」という情報が強調され、聴覚的にも視覚的にも「２つの注意点」を印象付けることができる。

日頃から意図的にジェスチャーを用いるようにしておくと、プレゼンテーションの際に自然に用いることができるようになるだろう。

ポイント④　立ち位置

プレゼンテーションをする時にどこに立つかはとても重要である。通常演台にマイクが立っていて、話し手はそこで話すことになるが、じっとしていては、聴き手は話し手に関心を失ってしまう。故スティーブ・ジョブズ氏は生前、新製品のiPhoneを片手にステージの中央に立ち、そこでステージ上を左右にゆっくり歩きながら新製品の特徴を話した。聴き手は彼に視線を向け、彼が歩いた方向に視線を移したものである。その発表スタイルは当時斬新で、日本では講師は演台でじっとして話すものと思っていた筆者も非常に驚いたのを覚えている。スティーブ・ジョブズ氏のようにステージの中央に立ち、左右に動きながらプレゼンテーションを行えば、**「視点の誘導」**とともに聴き手を飽きさせず**「関心を一身に集める」**ことができる。世界の一流のプレゼンター達が様々なテーマについて発表を行うTEDにおいても、この発表スタイルがとられている。

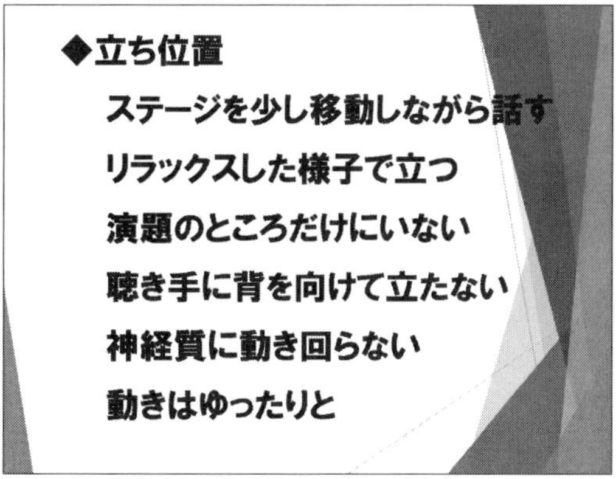

大切なのは会場の**全員が見える位置に立つ**ことであり、視線とともに関心を集めることである。マイクがワイヤレスで、プ

◆立ち位置
ステージを少し移動しながら話す
リラックスした様子で立つ
演題のところだけにいない
聴き手に背を向けて立たない
神経質に動き回らない
動きはゆったりと

図10：立ち位置の注意点

レゼンテーションマウスを活用できれば、話し手は演台から解放される。**図10**にまとめた注意点に気を付けてプレゼンテーションをしてみよう。

ポイント⑤ 顔の表情

顔の表情は英語では“facial expression”と訳されるが、まさしく、表現の一形態である。緊張し、こわばった表情はそれだけで聴き手に緊張感を生み、場の雰囲気を堅く、暗いものにしてしまう。その逆に、**明るい笑顔は安心感と楽しい雰囲気を生み出す**。人前での発表は緊張するものだが、深呼吸をして、笑顔で話してみよう。

言語面での注意点

これまで非言語のデリバリー技術について見てきたわけでだが、ここからは言語面で気を付けるべき点について見ていく。

ポイント① 声量

プレゼンテーションをする場合、声の大きさ(声量)は必要不可欠で、一番大切な要素と言っても過言ではない。会場の大小に関わらず、全体に声が届かないと意味がない。つまり、声が届かなければプレゼンテーションをしていないのと同じなのである。堂々とした大きな声は活力や自信を感じさせるのだ(藤尾, 2016)。男性でも女性でもしっかり息を吸い腹の底から声を出すことだ。会場の一番後ろの人まで届くよう声を出してみよう。

ポイント② 発音　音節と強勢　強調　抑揚　リエゾン

■ 発音

発音は、流暢さを目指すより、明瞭さを目指すとよい(藤尾, 2016)。英語でのプレゼンテーションの場合、英語らしい発音を目指すあまり、不明瞭で早口の分かりづらいものになりがちだが、ジャパニーズ・イングリッシュでも適度な速さで明瞭な発音の方が聞きやすく理解される場合がある。他人に聴いてもらって気付いた点を指摘してもらったり、ビデオに撮って見直したりして、自分がどんな発音でプレゼンテーションをしているのか見直してみよう。

■ 音節と強勢

英語らしい発音に近づけるためには、「拍数」と「強弱アクセント(accent：強勢)」に気を付けるとよい。英語の単語の発音は拍数と強弱アクセントで決定づけられるからである。拍数とは何拍でその語を読むかのことで、母音で読まれる箇所がいくつあるかで決まる。例えば、オーストラリアのシドニーという都市名は英語では“Sydney”と表記されるが、母音で発音される箇所は、最初のy[i]とe[i]の２箇所なので、２音節(シラブル)となり、「２拍」で発音される。つまり、「シッ・ニー」[sidni:]と発音される。カタカナ読みの「シ・ド・ニー」[sidoni:]ではない。また、「第１アクセント（第一強勢）」の位置は、最初のyの上にあるため、「㋛ッ・ニー」という発音になるわけである。この単語の強弱アクセント（accent）はword-stressとも言われる。

■ 強調

前項の、単語の中での強勢（word-strss）に対して、文の中でどの語を強調して強く読むかという文強勢（sentence-stress）がある。簡単な例で説明すると、"Where do you live?"と聞かれ、"I live in Okayama."と答える場合、尋ねられているのは住んでいる場所なので、当然"Okayama"が「文強勢」として一番強く発音されることになる。この例のような対話の場合は強調する部分が比較的考えやすいが、プレゼンテーションの場合は聴き手に伝えたいメッセージに応じてどの部分を強調するのかよく考えておくとよい。お経のような原稿の棒読みにならないように、どこがポイントかがよく分かるように、この部分は覚えておいてもらいたいという情報や意見は、文強勢を置いて強調するようにしよう。

■ 抑揚

英語は強勢言語（strss-language）と呼ばれる（藤尾, 2016）。意味上重要なところに文強勢が置かれることで強調され、その他は弱く発音されるため、強弱のリズムが生まれる。この英語特有の強弱のリズムが「抑揚（イントネーション）」である。日本語は比較的一本調子に発話されることが多いため、日本人にとってこの抑揚が自然につけられるようになるにはかなりの練習を要する。日頃からモデルとなる英語の音声に合わせて発話練習するなどの取り組みを続けてほしい。

■ リエゾン

文章を発話する際にぜひ知っておくべきは「リエゾン」である。例えば、"not at all"をあなたはどう発音するだろうか。「ノット・アット・オール」だろうか。確かに、１語１語は間違っていないが、実際には、前の語の最後の子音（t）と、次の語の最初の母音（a）がつながって発音されるため、「ノッタットール」さらにはta（タ）の音が「ラ」に変化し、「ノッラッロー」または「ナラロー」と発音されることとなる。このように、語の連続により、音の結合が起こる現象を「リエゾン」と言う。リエゾンを意識して英語らしい発音に一歩近づこう。

ポイント③ 間の取り方

プレゼンテーションで話し手がよく犯してしまう過ちが、ついつい一本調子に同じペースで話してしまうということだ。聴き手は単調な話に飽きて居眠りをしたり、どこが大切なところか分からなくなったりして、関心を失ってしまうことにもなりかねない。やはり、メリハリと間が大切である。浅井(2005)は、「メリハリ＝声の大きさ×話す速さの緩急」と定義づけている。大切なことを話すときはゆっくり大きな声で話し、そうでない部分は速く普通の声で話すとよい。しかし、メリハリをつけたプレゼンテーションをしているつもりでも、その内、聴き手の緊張感が切れ、私語が始まったりする。

騒がしい会場を静かにさせ、話し手の話を聞かせるには、大声で「静かにしなさい！」と叫ぶのも一つの手であるが、かえって会場は騒がしくなる場合も多い。そこで、効果的な方法が「間」である。つまり、5秒間ほど「沈黙」の時間を意図的にとることである(山本, 2011)。それまで連続的に聞こえていた声が途絶えると、「どうしたんだろう」と、話への関心を失い、下を向いていた人たちも、気になって顔を上げ、話し手の方を向くのだ。そのタイミングで一番伝えたいことを言えばより伝わりやすい。

この「間」が有効な場面として、浅井(2005)は次の4つの場面を挙げている。**「①話の区切り、②印象付ける時、③考える時、④注目させる時」**である。

有効であることはよく分かっていても、なかなか上手く活かせないのが「間」である。「シーン」とした沈黙が怖くて、なかなか間が取れないわけである。皆さんも間を取ってみよう。

伝える内容に応じて最適な表現方法は異なる

プレゼンテーションというとPowerPoint®やKeynote®でスライドを作って、プロジェクターで投影して、それに合わせて何かしゃべることと勘違いしている人も多い。しかし、何をプレゼンテーションするのかによって様々な表現方法があってよいのである。例えば、立体的な実物を実際に示した方がサイズ感や質感を表現しやすいのであれば、「実物投影機」で示した方がよいのかもしれない。実際に体験した場面を理解してもらうには、人と人とで「実演」した方が位置関係を含め、感情も伝えることができてよいかもしれない。化学反応なら「実験」であるし、味であれば「試食」ということも考えられる（試食は衛生面からプレゼンテーションの場面では行うことは難しいが）。**図11**に示す通り、プレゼンテーションする内容に応じて様々な表現方法が存在する。パソコンでスライドを作成する前に一度何が最適な表現方法であるか考えてみよう。

図11：様々な表現方法

PowerPoint®は米国Microsoft Corporationの登録商標です。

Keynote®は米国その他の国で登録されたApple Inc.の商標です。

❺ 内容を決める：何を伝えるかを吟味する

テーマに応じてプレゼンテーションの内容を決定する

■ グループ・ペアでの議論の仕方…ブレーンストーミング・ＫＪ法®

グループプレゼンテーションの場合、内容を決める際の発想方法について紹介する。ただ時間をかけて話をしても上手くまとまらないもの。そこで次の2つのやり方を使ってみよう。

①ブレーンストーミング

A.オズボーン氏が考案したアイディア発想法で、「連想ゲームのように芋づる式にアイディアを出していく」方法である（堀，2014）。アイディア連鎖を途切れさせないための４つのルールが次の項目である。

1. **批判厳禁**…すべてのアイディアに価値がある。評価も批判もしないこと。
2. **自由奔放**…奇抜なアイディア大歓迎。ムード作りのカギとなる。
3. **質より量**…たくさんアイディアを出すことで発想の枠が広がる。
4. **便乗歓迎**…既存のアイディアからヒントを得て発想しよう。

この発想法のやり方はとてもシンプル。テーマは抽象的なものよりも、具体的なテーマの方が向いている。進行役のファシリテーターが上手く場を盛り上げていくことがポイント。

②ＫＪ法® （ＫＪ法®は川喜田研究所の登録商標である。）

川喜田二郎氏が考案した発想法で、やり方は次の通り。

準備	① 模造紙等の大きめの紙を準備し、４人から５人のグループで囲み、情報を出し合う準備をする。
発想	② 付箋紙などにアイディアや情報を制限時間内で思いつくだけ、できるだけ多く書いて、模造紙等の紙の上に貼る。（制限時間約１０分）
グルーピング	③ 内容的に近い（親和性の高い）付箋紙同士を、模造紙等の紙面上でそれぞれ１箇所に集め、グルーピングする。
ラベリング	④ 各付箋紙グループの内容を要約して、それぞれに短い言葉でラベル（表札）を付ける。（小さいグループから中グループ、大グループへと階層を上げて、ラベリングを繰り返す。）
関連付け	⑤ 各付箋紙グループ同士の関係を調べ、矢印などでその関係を示す。
まとめ	⑥ 全体を見渡し、グループメンバー内で、結論としてどういうことが言えるのかを口頭でまとめる。
発表	⑦ 模造紙をクラス全体に提示し、各グループで結論を発表する。

■ 個人で内容を決めるには…マインドマップ®の作成

（マインドマップ®は英国Buzan Organization Ltd.の登録商標である。）

●マインドマップ®

プレゼンテーションについて、グループではなく個人で内容を決める際、一人で発想を広げていかねばならず、なかなかアイディアを膨らませることは難しい。そこで樹木のように放射状にアイディアの枝葉を伸ばしていくことで、思考プロセスをビジュアルに表現し、発想やイメージを広げ、同時にアイディアを階層的に整理するマインドマップ®（堀，2014）を紹介する。

T.ブザンが考案したマインドマップ®は「関連樹木法」とも呼ばれる。その方法は次の通り。

① 検討するテーマを用紙の中央に書く
② そこから太い枝を伸ばす
③ 太い枝から派生的にアイディアを細い枝で付け足す
④ 全く異なるアイディアが浮かんだら、中心から太い枝を伸ばし、それに関連するアイディアを細い枝で付け足す

最初はどこに枝を伸ばし、その枝からアイディアを枝分かれさせるのか迷うかもしれないが、その場合はどこでもよいのでまずはアイディアを書いておき、後で枝を伸ばして関連付けるとよい。また、類似性のあるアイディアはグループでくくって、見出しを付けて整理してもよい。マインドマップ®のイメージは図12のようになる。

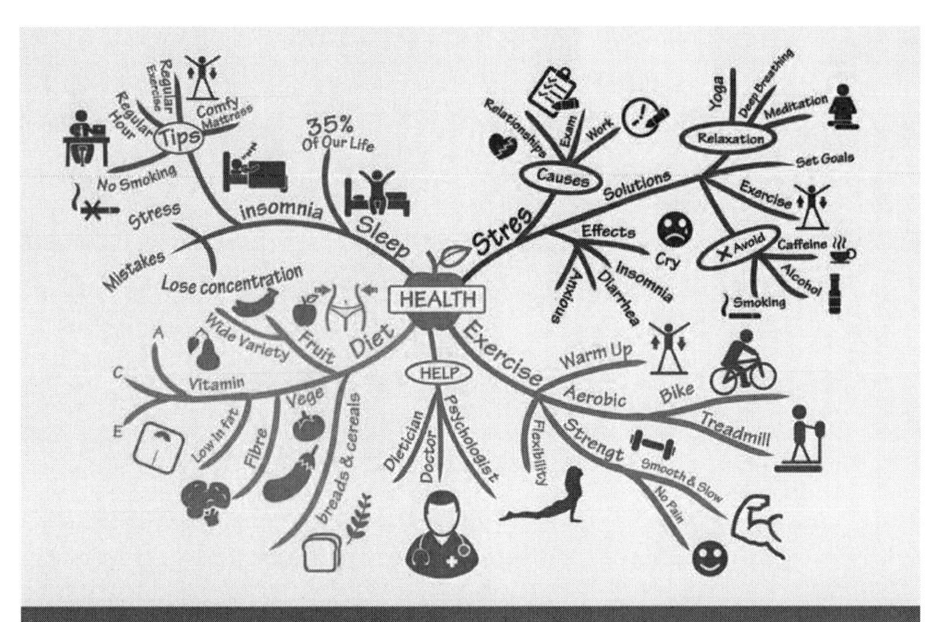

図12：マインドマップ®の例
（出典：https://www.crazy-tutorial.com/ja/83595.html）

❻ 構成を考える：いかに分かりやすく伝えるか

分かりやすい話の組み立て方 …基本構造「導入⇒本論⇒結論」

プレゼンテーションの基本構造は図13に示す通り、「導入（Introduction）⇒本論（Body）⇒結論（Conclusion）」である。聴き手にいかに話をスムーズに理解してもらえるかは、この話の組み立て方にかかっていると言っても過言ではない。事前によく論理展開を考え、フローチャートを作成してから、話す内容を準備するようにしよう。簡潔な英文の書き方や作成フォーマットについては第二章で解説する。

Introduction Begin Powerfully	【導入】 ・切り出しの挨拶・自己紹介 ・参加者への謝辞 ・プレゼンテーションの目的と背景 ・見通しを示す
Body Present Logically Maintain Interest Use Visuals	【本論】 ・導入 ・展開 ・結論への導入
Conclusion Finish Powerfully	【結論】 ・結論 ・協調と繰り返し ・謝辞 ・締めくくりの挨拶

図13：プレゼンの基本構造（Philip Deane, Kevin Reynolds, 2002）

時系列に出来事を述べない！

あなたの参加ししていない他校の運動会のビデオを最初から最後まで延々と見せられると、あなたはどのように感じるだろうか。自分が心理的に共感できない事柄が淡々と進行するのをじっと集中して見るように言われたら、きっとうんざりすることだろう。仮に自分に関係する事柄であっても、時系列に起こった出来事をただ順番に話されたり、見せられたりするのは、退屈で、時に苦痛と感じたりするものである。

あなたのプレゼンテーションに10分の時間が与えられているのであれば、その10分を聴き手にとって有意義な時間にできるよう、話の構成に工夫すべきである。次の点に気を付けよう。

1．出来事をただ**時系列に述べない**
2．**分かりやすい構成**にする
3．大切な**ポイントは明確に**示す
4．**具体的な事例**も入れて共感を得やすくする

浅井（2005）は、「**プレゼンテーションの４Ｃ**」として、次の4点を重要としている。

1．**簡潔さ（Concise）**
2．**明確さ（Clear）**
3．**正確さ（Correct）**
4．**具体例（Concrete）**

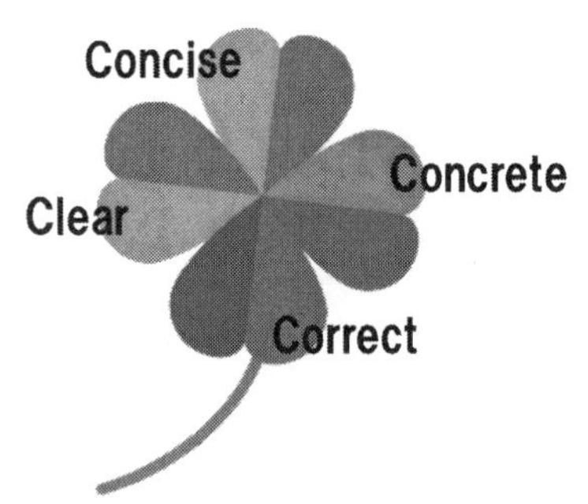

内容のかたまりごとにタイトルをつける …スティーブ・ジョブズに学ぶ

アップルコンピュータの創始者で、iPhoneやiPadの生みの親であるスティーブ・ジョブズ氏が2005年にスタンフォード大学の卒業式に行ったスピーチは「伝説のスピーチ」として今なお語り継がれている。そのスピーチから多くのことが学べる。まず、話の内容をまとめると**図14**のようになる。

図14：伝説のスピーチの骨子

内容は、彼が生まれてすぐ養子に出され、その後大学に進学、中退、アップルコンピュータの立ち上げ、退職、別会社の起業、アップルコンピュータへの復職、会社の立て直し、そして自身の闘病を経て、現在に至るまで、彼のまさに一生を順を追って述べている。前項でも述べたが、通常であれば出来事を時系列に述べた話は退屈で耐えがたいものになるはずが、彼の「伝説のスピーチ」にはそれが全く感じられない。なぜであろうか。その答えとなるポイントを**図15**にまとめる。

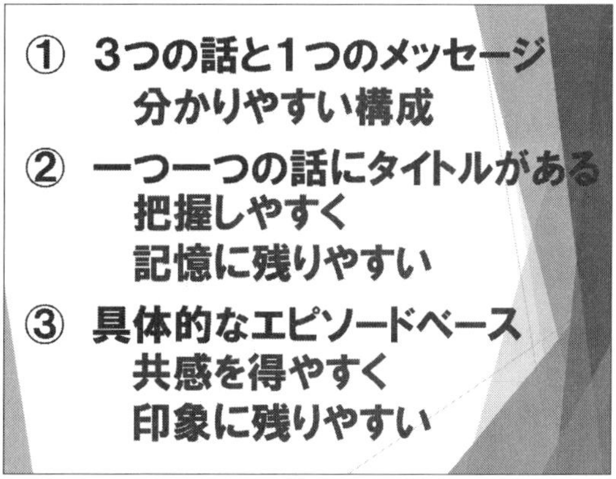

図15：「伝説のスピーチ」の分かりやすさのポイント

特徴の１つ目として、**「分かりやすい構成」**がある。全体的には時系列であるが、明確に話が３つのブロックに分割されており、その切れ目で、ジョブズ氏は水を飲み、十分「間」を取ってから、次の話のブロックを話し始めるため、一つひとつの話のブロックごとのエピソードが伝えたいメッセージを理解しやすく、頭を整理しやすい。特に、彼は最初に“I wanna (want to) tell you three stories from my life.”と言って、「これから３つの話をする」と宣言してから、それぞれのブロックの初めにThe first story「１つ目の話」、The second story「２つ目の話」、The third story「３つ目の話」と番号付けまでしているのでより分かりやすい構成になっている。

２つ目の特徴として、３つある話のブロックに図14で示した**「タイトル付け」**をしていることである。細かな出来事は記憶に残らなくても３つの話のタイトルだけは記憶に残りやすい。また、最初にタイトルを告げることで、これから話される内容がどのようなテーマかを把握しやすくなるだけでなく、話に対する期待感をも生み出すことができる。

３つ目の特徴として、難しい理論や抽象的な話ではなく、彼の人生で起こった**「具体的なエピソード」**をもとに話しているため、共感を得やすく、何が言いたいのかが印象に残りやすいメリットがある。

最後に彼は伝えたいメッセージとして、“Stay hungry. Stay foolish.”という名言を残している。他人は一般的に最後に耳にしたフレーズが記憶に残りやすいものであるので、話全体を通して**本当に伝えたいことを短い言葉で最後にもってくる**ことが非常に有効であることは彼の例からもよく分かる。

❼ 磨きをかける：改善のための方法

プレゼンテーション後の振り返りが大事 …動画を用いた振り返り、メタ認知

プレゼンテーション成功のためにはしっかりとした事前準備が大切である。本来、前もって何度も繰り返し練習してから本番を迎えるため、**「プレゼンテーションはステージに立った時にはすでに終わっている」**と言ってもよい。

しかしながら、プレゼンテーションはなかなか思い通りにはいかないもので、10分の発表時間を超えてしまったり、途中でつまってしまったり、聴き手の反応が思ったような反応でなかったりする。時に、事前チェックでは上手く動いていたスライドが本番には固まって切り替わらないなどという機器トラブルに見舞われることもある。プレゼンテーションが終わったら「あー終わった、終わったー！」と上手くいかなかったことを忘れてしまおうとする人が多いと思うが、せっかく人前で発表する機会を得たのだから、次に機会を与えられた時のために**振り返り、上手くいかなかった原因を明らかに**して、自分のプレゼンテーション力を向上させておくべきである。

筆者は、大学で「英語プレゼンテーション」という講義を担当しているが、学生にプレゼン発表させる時は、筆者が必ずiPadで**動画撮影**し、プレゼンテーション終了直後に、その撮影した動画をプロジェクターで投影して、発表者に思い通りにいったところ、上手くいかなかったところを言わせることにしている。こうすることで、自分の声の大きさはどうか、目線は聴き手の方に向いているか、姿勢はどうなっているか、自分特有の話すときの癖はないか等を確認させ、自ら指摘することで、**改善点を自己認識**させるわけである。発表者である学生は、発表時は当然自分の姿は見ることはできないため、**動画による振り返りによって、改めて自分を客観視でき、**メタ認知へとつなげることができる。

そして、一番肝心なのは、映像を活用した自己振り返りにより発見した改善点を自ら修正し、再度同じ内容でプレゼンテーションを行うことである。1回目よりは改善を行った2回目の方がよくなっているに違いない。このことから、事前練習として本番のつもりでプレゼンテーションした様子を上記のように録

画、自己振り返りを行い、改善点を見つけ修正してから本番を迎えた方が当然結果は良くなると考えられる。

皆さんも、最近はスマートフォンのカメラ機能で容易に動画を記録することができる。ぜひ、自分の発表の様子を自分の目で振り返ってみてほしい。もし練習時、動画が撮影できない場合は、鏡の前で練習してみてほしい。必ずこれまで気が付かなかったことに気付くはずだ。そして、これらの動画によるプレゼンテーションの記録は、**ディジタルポートフォリオ**として、プレゼンテーション力向上の過程を記録した学習記録となり、あなたの貴重な財産となる。

他人の意見に耳を貸そう …他者評価による気付き

前項で述べたが筆者の担当する「英語プレゼンテーション」という講座では、発表の様子を動画で記録し、全体で動画を見ながら振り返るわけだが、その際、発表者だけでなく、聴き手の学生全員にも感想を述べさせる。最初の頃は、「よかったです。」と発表者に気を使ってか、差し障りのない感想が多かったが、同様の振り返りを繰り返すうちに、「前を向いて原稿を見ないで発表出来ていてスゴイと思った。」とか「発表内容はよかったが、声が小さくスクリーンの方ばかり見て話していたので、もっと大きな声で、話す時は聴き手の方を向いた方がよいと思った。」といったような、やや具体的で率直な感想や意見が出てくるようになった。

これらの他者からの感想や意見、すなわち他者評価は発表者にとっては、大切な上達のヒントである。発表者自らが積極的かつ謙虚に、自分のプレゼンテーションを聴き手がいかに感じたかを聞いて、改善に活かす姿勢を持ってもらいたい。

また、聴き手にとっても他人のプレゼンテーションを聴き、他者評価を行うことは自らの学習の場面でもある。評価の目をもって他人のプレゼンテーションを見ることは、ひいては自らのプレゼンテーション力向上にもつながる。「他人の振り見て我が振り直せ」とことわざにもあるように、参考になる点は自分のプレゼンテーションの改善に役立てよう。

❽ 評価する：プレゼンテーション評価の規準

評価者の目で自分のプレゼンテーションを見直そう

プレゼンテーションの準備をしている時は、何をいかに話すかに集中しているため、意外と忘れがちなのが、他者の視点である。自分のプレゼンテーションは聴き手にとって、どんな価値があるのか、自己主張ばかりで聴き手のニーズを無視していないか、スライドは聴き手にとって分かりやすいものか、話の展開に分かりづらい点はないか等、これらの点は聴き手の身になって考えれば、配慮が必要な点であると分かるはずである。

評価者の目で自分のプレゼンテーションを見直してみよう。まずは「内容」「表現」「スライド」「時間」の４つの評価項目の視点に立ってチェックしてみよう。ただし、スライドを用いない場合は、該当の表現形式に読み替えること。次に各評価項目について**表２**に示す。

表２：評価項目とポイント

評価項目		評価のポイント
1	内容	① テーマと関連性（テーマに沿った内容だったか） ② 論点の一致と構成（論点に一貫性があり、序論・本論・結論等しっかりと構成が整っていたか） ③ 論拠の提示（具体例、経験、データなどを使用しており出典先が明確に記載されていたか） ④ 独創性と洞察力（オリジナリティに富んでおり、また、テーマ・課題に深く鋭く観察しているか）
2	表現	① わかりやすさ（聴衆に対して分かりやすく説得力のある言葉を選択していたか） ② 言葉遣い（話し言葉になっていおらず、原稿を読み上げでなかったか） ③ 話し方（声の大きさは適当でスピードは適切であったか） ④ 動作（ボディーランゲージ、アイコンタクトなどにより聴衆に訴えかける熱意が感じられたか）
3	スライド	① 視覚的アピールⅠ（見栄え、色使い、フォントサイズなど分かりやすかったか） ② 視覚的アピールⅡ（写真、図、チャート、グラフなど表現の工夫があったか） ③ 発表内容との関連性（発表内容とスライド関連性が高く、発表内容とスライド内容に隔たりが無かったか） ④ スライドの効果的使用（各スライドの見出しや大事な点の強調などスライドを効果的に使用していたか）
4	時間	① 制限時間は守られていたか（10分以内）

他人のプレゼンテーションを評価の観点から見てみよう

他人のプレゼンテーションを聴く時、ボーッとして聴いてはいないだろうか。同じテーマでプレゼンテーションしても、十人十色で、切り口は様々で、「この人の主張していることは私とは違うな」、「こんな話し方を私もしてみたいな」等、最初はちょっとした気付きでよいが、参考にできるところはメモする癖をつけよう。そして、前項で述べた評価項目（「内容」「表現」「スライド」「時間」）について、他人のプレゼンテーションを評価し、気付いた点はぜひ発表者にフィードバックしてあげよう。そして、自分のプレゼンテーションの際に評価してもらえるようにしておこう。

聴く側は気付いた点をメモしよう

プレゼンテーション後のディスカッション
ー互いの気付きを出し合おう！

目線を原稿から上げよう！ 原稿ばかりを見て話さない

● 原稿に縛られずに！

プレゼン原稿を作成したら、一字一句間違えずに読まなければと原稿にがんじがらめになる人がいる。手元の原稿ばかりを見ていたら自然と姿勢は前かがみになり、聴き手の方に視線を配ることができないため、聴き手は集中力がなくなりせっかくのプレゼン内容を聞いてもらえない。「原稿は原稿！」と割り切って、伝えたい内容を自分の言葉として伝えた方がより伝わるプレゼンテーションになる。そのためには事前に何度も練習し、少々間違えても続けられるようにしておこう。

● 読み上げるなら資料を配った方がまし

なぜか読み上げられた原稿の内容は聴き手の頭に残らない。よく「右の耳から入って左から出て行った」とか「頭の上を原稿が流れていった」という現象が起こる。これはスライド上に書かれた文章を読み上げる場合も同である。「**プレゼンテーションのどこが大事で、何を伝えたいのか**」が分かるように強調したり、間をとったり、聴き手に問いかけたり、アイコンタクトをとったりすることで、プレゼン原稿に命が吹き込まれるのである。単に読み上げるのならその内容を資料として配った方がましである。

❶ 伝え方を学ぼう１<非言語デリバリー技術に焦点を当てて>

第一章の❹「違いを生み出すデリバリー技術」の項で説明した非言語デリバリー技術に焦点を当てて、実際に話す練習をしてみよう。その前に、気を付けるべきチェックポイントを復習しておこう。

■ 非言語デリバリー技術　７つのチェックポイント

【その１ 姿勢】
- □ 背筋は伸びているか
- □ 身体は聴き手に正対しているか
- □ 立ち方は安定しているか
- □ 前後・左右に揺れていないか

【その２ しぐさ】
- □ 手悪さをしながら話していないか
- □ 顔や髪を頻繁に触っていないか

【その３ 服装】
- □ 身だしなみ（頭髪・服装）は整っているか

【その４ アイコンタクト】
- □ 会場全体を見渡せているか
- □ 目線は順序良く配れているか
- □ 聴き手の方を向いた時に話せているか
- □ 数秒間のアイコンタクトの維持はできているか

【その５ ジェスチャー】
- □ ジェスチャーは内容に合わせて行えているか

【その６ 立ち位置】
- □ 会場の全員が見える位置に立っているか
- □ 適度にステージ上を移動しながら話せているか

【その７ 顔の表情】
- □ 明るい笑顔で話せているか

演習① 自己紹介をしてみよう:「姿勢」「しぐさ」「服装」「アイコンタクト」

自分の身のまわりのことについてのプレゼンテーションとして、まずは自己紹介から始めてみよう。隣に座っている人とペアになり、互いに自分の部活動や趣味、最近うれしかった事など、一つテーマを決め、簡単な英語で紹介し合おう。その際に、**「姿勢」「しぐさ」「服装」「アイコンタクト」**の各ポイントが上手くできているかを互いにチェックし合おう。

部活動について話す例を次に挙げる。話すことが思いつかない人は、例文の部の箇所を自分の場合に置き換えて話してみるとよい。

ペアでの練習が終わったら、クラス全体に向かって発表してみよう。話し終わったら必ず、惜しみない拍手を送ろう!

■ 名前 (Your name)

- My name is Taro Yamada.
- I'm Taro Yamada.

[　　　　　　　　　　　　　　]

■ 所属 (Your affiliation: Club activities, Class)

- I belong to the tennis club.
- I am a member of the tennis club.
- I'm in the 1st grade, class 3.

[　　　　　　　　　　　　　　]

■ 例１　入部の理由

I decided to join the astronomy club. There are three main reasons.
（天文部に入る決心をしました。理由は３つあります。）

First, I love watching the beautiful stars at night.
（まず、私は夜に美しい星を見るのが大好きです。）

Second, I have been interested in astronomy since I was a little child.
（次に、私は小さいころからずっと天文学に関心がありました。）

Third, I want to become an astronaut in the future.
（最後に、私は将来宇宙飛行士になりたいのです。）

Overall, I'm looking forward to learning about astronomy in the club.
（要するに、天文部で天文学について学ぶのを楽しみにしています。）

■ 解説

ここでのポイント「姿勢」「しぐさ」「服装」「アイコンタクト」はできていただろうか。互いに評価し合おう。

演習② モデルプレゼンテーションを実演してみよう：「ジェスチャー」「立ち位置」「顔の表情」

次に非言語デリバリー技術の**「ジェスチャー」「立ち位置」「顔の表情」**に焦点を当てた練習をしよう。もちろん、演習①のポイント「姿勢」「しぐさ」「服装」「アイコンタクト」にも注意して、モデルプレゼンテーションを、実際の自分のプレゼンテーションとして、実演してみよう。

■ 例2　教育の役割　The Role of Education

Introduction

Good morning, everyone. My name is Taro Yamada. I'm very glad to be here today.

The subject of my presentation today is 'The Role of Education.'

What comes to your mind when you hear 'Education'? You might imagine a difficult math homework or a teacher's stern face. Let's take a look at its definition on the Oxford Advanced Learner's Dictionary. As you see, 'Education' is "a process of teaching, training, and learning, especially in schools, colleges or universities, to improve knowledge and develop skills." I think education has a strong power which differentiates us from other living beings on earth. Education also benefits us individually in various ways. Now I'd like to talk about the three roles of education.

Body

First, education can help develop our skills and enhance the possibilities of our future success. It gives us career opportunities that can increase our quality of life. Thanks to enough education, we won't have to depend on anyone else for our living.

Second, education is a key to the development of our society. Please take a look at the table on the screen. This shows the literacy rate of some countries. These countries are in the Least Developed Countries. We can say that education is the most significant tool in eliminating poverty. We take it for granted that we receive the benefits from compulsory education. But it's not natural in every country. We must realize the importance of education.

Third, education is one of the basic human rights. I have learned about the speech "Be a Child for a Moment" made by Malala Yousafzai, who got the Nobel Peace Prize 2014. Listening to her speech, I learned that 28 million children are out of school because of the ongoing and tragic conflicts and wars. I was also really surprised to know the tragic incident that three girls in Afghanistan had acid thrown in their faces by terrorists for their 'crime' to go to school. I couldn't believe that such a sad thing happened, but at the same time, I felt that it is an urgent necessity to realize the peaceful society in which children can access education freely and equally.

Conclusion

In conclusion, education gives us various kinds of knowledge and skills and enhances our ability to get better jobs. The individual growth of a person will lead to the improvement of the economic growth of a country. To build a better society, we have to review the value of education and respect education as a basic human right.

Thank you for listening.

※英文の日本語訳は巻末の付録に収録

Table：The literacy rate of the Least Developed Countries

Second Role of Education

A key to the development of our society

The Literacy Rate of the Least Developed Countries

Country (Region)	Year		(Unit : %)		Country (Region)	Year		(Unit : %)	
		Total	Male	Female			Total	Male	Female
Afghanistan	11	31.7	45.4	17.6	Sudan	08	53.5	59.8	46.7
Nepal	11	59.6	71.7	48.8	Senegal	13	42.8	52.8	33.6
Pakistan	14	57.0	69.1	44.3	Chad	16	22.3	31.3	14.0
Bhutan	12	57.0	66.0	48.0	Central Africa	10	36.8	50.7	24.4
Haiti	06	48.7	53.4	44.6	Nigeria	08	51.1	61.3	41.4
Angola	14	66.0	80.0	53.4	Niger	12	15.5	23.2	8.9
Ethiopia	07	39.0	49.1	28.9	Burkina Faso	14	34.6	44.4	26.2
Gambia	13	42.0	51.4	33.6	Benin	12	32.9	45.0	22.1
Guinea	14	32.0	43.6	22.0	Mali	15	33.1	45.1	22.2
Guinea Bissau	14	45.6	62.2	30.8	Mauritania	07	45.5	57.4	35.3
Comoros	12	49.2	56.5	42.6	Mozambique	09	50.6	67.4	36.5
Sierra Leone	13	32.4	41.3	24.9	Liberia	07	42.9	60.8	27.0

出典：総務省統計局（2020）世界の統計2020.
https://www.stat.go.jp/data/sekai/0116.html#c15Countries

【参考】関連する語・表現を知ろう。Vocabulary & Useful Expressions

subject（主題，題目）come to one's mind（心に浮かぶ）a stern face（険しい顔）definition（定義）improve（向上させる）differentiate A from B（AをBと区別する） living being（生き物）benefit（恩恵を与える）enhance（高める）one's living（～の生計）table（表）literacy rate（識字率）significant（重要な）eliminate（除く）poverty（貧困）take it for granted that ～（～を当たり前だと思う）compulsory education（義務教育）ongoing（進行中の）tragic（悲劇的な）conflict（衝突，戦闘）incident（事件）crime（犯罪）urgent（緊急の）

■ 解説

演習①ポイント「姿勢」「しぐさ」「服装」「アイコンタクト」に加えて、今回のポイント**「ジェスチャー」「立ち位置」「顔の表情」**はできていただろうか。クラスで互いに評価し合おう。

・ジェスチャーはやり過ぎても逆効果
　適度に用いるようにしよう

・ジェスチャーは文化によって異なる場合もある
　適切なジェスチャーを適切な場面で用いよう

❷ 伝え方を学ぼう２＜言語デリバリー技術に焦点を当てて＞

第一章の❹「言語面での注意点」の項で説明した言語を用いたデリバリー技術に焦点を当てて、実際に話す練習をしてみよう。その前に、気を付けるべきチェックポイントを復習しておこう。

■ 言語デリバリー技術　７つのチェックポイント

【その１ 声量】

☐ 会場全体に聞こえる大きな声が出ているか

☐ 腹の底から声が出ているか

【その２ 発音】

☐ 適度な速さで話せているか

☐ 発音は明瞭であるか

【その３ 音節と強勢】

☐ 適切な拍数(音節数)で発音できているか

☐ 適切な強弱アクセント(強勢)で発音できているか

【その４ 強調】

☐ 文強勢を置いて協調できているか

【その５ 抑揚】

☐ 強弱のリズムがとれているか

【その６ リエゾン】

☐ 語の連続による音の結合が生まれているか

【その７ 間の取り方】

☐ 間を取ってメリハリのある話し方ができているか

ここにも気を付けよう７つのポイント

□ *Point 1*　自信は事前の十分な練習から生まれる
□ *Point 2*　事前のイメージトレーニングであらゆるケースを想定せよ
□ *Point 3*　原稿ばかり読み上げない、頼らない
□ *Point 4*　顔を挙げて胸を張れ
□ *Point 5*　話すときは聞き手に正対せよ
□ *Point 6*　英語の発音の誤りを過度に気にしない
□ *Point 7*　恥ずかしいと思う気持ちを恥ずかしいと思うべし

演習③　モデルプレゼンテーションを実演してみよう：「声量」「発音」「音節と強勢」「強調」「抑揚」「リエゾン」「間の取り方」

言語デリバリー技術の「声量」「発音」「音節と強勢」「強調」「抑揚」「リエゾン」「間の取り方」に焦点を当てた練習をしよう。モデルプレゼンテーションを、実際の自分のプレゼンテーションとして、実演してみよう。

■ 例３　空き家問題にどう取り組むべきか
What should we do to solve the 'Akiya' problem?

Introduction

Hello, everyone. My name is Noritake Fujishiro. I am a second-year student here at Chugoku Gakuen High School. I am in a science and mathematics course. I'd like to thank you all for coming today.

I'd like to talk about the empty 'ghost' houses in Japan. These empty 'ghost' houses are called 'Akiya' in Japanese. Do you know how many 'Akiya' are in Japan? I was really surprised to see its number. The answer is 846 million.

Today, I'll start by talking about the main reasons why Japan has so many 'Akiya.' And then I'll also talk about what kind of problems will happen by 'Akiya' and what the obstacles are in solving the 'Akiya' problem. At the end of my presentation, I'd like to give you my opinion about what Japan should do to solve this problem.

Now, I'd like to move on to the main part of my presentation.

Body

First of all, let me talk about the reasons why we have many Akiya around Japan. Akiya means houses left abandoned without heirs or new tenants. Why have houses been abandoned? There are three main reasons, I think. The first reason is the expensive maintenance cost of vacant houses. When your parents pass away, you'll inherit their properties. But if you have been married and have already had your own home, you'll have to pay the property tax of the second house you have inherited and extra money to maintain it. So many people don't want to inherit houses, and when they inherit houses unavoidably, they come to leave inherited houses abandoned.

The second reason is rural depopulation. Please take a look at figure 1 on the slide. This map shows the vacant house rate. The highest rate is 20.3% in Yamanashi prefecture and the second highest one is 19.5% in Nagano prefecture. The rate of Tokushima and Kochi prefecture are also high. The younger generation wants to settle in cities where there are more opportunities. This population shift is also one of some reasons which cause many Akiya in a rural area in Japan.

The third reason is economic fluctuations. Please take a look at figure 2 on the slide. The line graph shows a fluctuation of the home vacancy rate and the column chart shows the number of 'Akiya.' The rate climbed up by the rapid postwar economic growth and surged to 11.5% by the collapse of the asset-inflated bubble boom of the late 1980s and early 1990s. As you can see in this chart, Japan's home vacancy rate has been rising.

Furthermore, what will happen if we don't do anything to solve the Akiya problem? What kind of problem will be caused by it? Because most Akiya are a few decades old, these old wooden houses have been already damaged and less likely withstand big typhoons and earthquakes. If they collapse, it might cause serious damage to others. Also, it might cause a deterioration of public security. Now we have to think about its solution.

Besides, what is the obstacle when we try to solve this Akiya problem? Authorities generally haven't been able to enforce the renovation or demolition of Akiya without being able to identify Akiya owners from whom they should get permission. It is quite difficult and takes a lot of time to find out the owners and get permission from them. It is quite a big obstacle. A new law, "ACT ON SPECIAL MEASURES TO FORWARD MUNICIPALITIES' MOVES FOR VACANT PREMISES," has come into force in 2015. I hope this law works well to solve this problem.

Conclusion

In conclusion, I think the Akiya problem is an urgent issue to be solved. In my opinion, the Japanese government should have some strong authority to enforce Akiya owners to renovate or demolish their properties when their Akiya are judged dangerous. And if the owner can't do that within a certain period, the Japanese government should forcefully buy the property and demolish it quickly. Of course, I believe that our private property right is quite precious. But without doing so, this Akiya problem won't be solved forever.

Thank you very much for your attention.

※英文の日本語訳は巻末の付録に収録

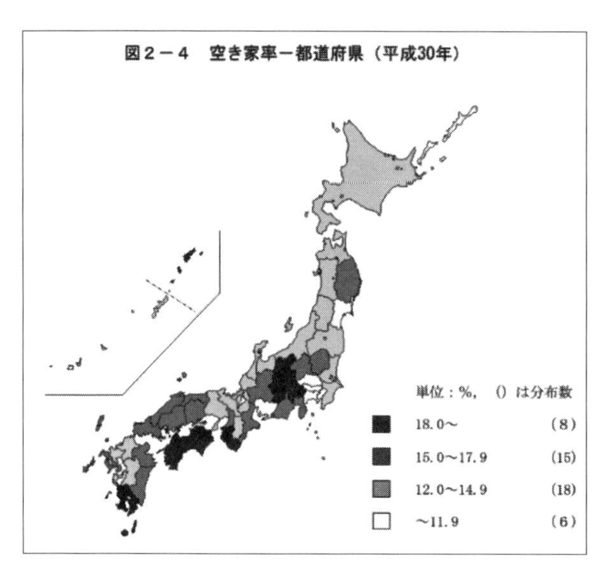

引用：総務省統計局（2019）平成30年住宅・土地統計調査
Figure 1

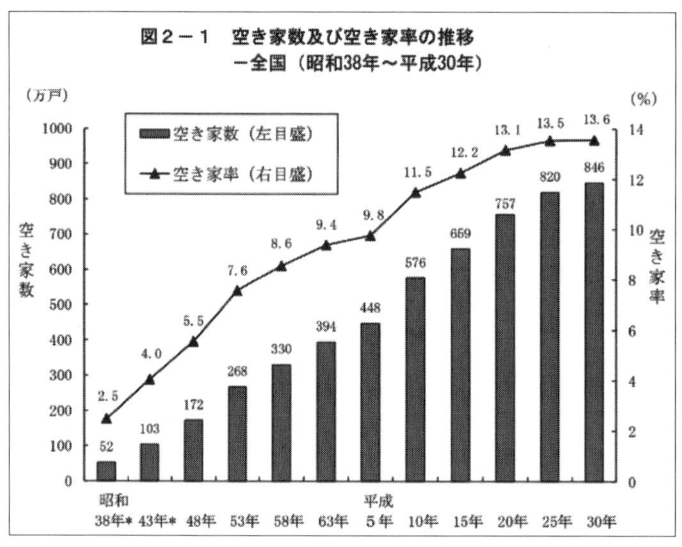

引用：総務省統計局（2019）平成30年住宅・土地統計調査
Figure 2

出典元：総務省統計局（2019）平成30年住宅・土地統計調査.
https://www.stat.go.jp/data/jyutaku/index.html

【参考】関連する語・表現を知ろう。Vocabulary & Useful Expressions

empty（空の）obstacle（障害）abandon（見捨てる）heir（相続人）
tenant（借家人）maintenance cost（維持費）inherit（相続する）
property（所有物,土地,建物）tax（税）unavoidably（やむを得ず）
rural depopulation（地方の過疎化）figure（図）rate（率）
economic fluctuations（経済変動）column chart（縦棒グラフ）
surge to（〜に急増する）collapse（崩壊）line graph（折れ線グラフ）
asset-inflated bubble boom（バブル景気）withstand（耐える）
deterioration（悪化）enforce（強いる）renovation（改修）
demolition（解体）permission（許可）
ACT ON SPECIAL MEASURES TO FORWARD MUNICIPALITIES' MOVES FOR VACANT PREMISES（空き家対策特別措置法）
authority（権限）demolish（取り壊す）

■ 解説

今回のポイント「声量」「発音」「音節と強勢」「強調」「抑揚」「リエゾン」「間の取り方」はできていただろうか。クラスで互いに評価し合おう。

材料を集めよう！ 有効な情報をいかに集めるか

● テーマ関する情報は書籍、論文、インターネットから幅広く集めよう

グループでも個人でもプレゼンテーションの内容を考える際には、必要となる情報の収集・整理・用いる情報の選択・判断が必要である。いわゆる「情報活用の実践力」が必要となるのである。そのために、いかに上手く役に立つ情報にたどりつけるかがカギとなる。自分の意見や説明に説得力を付けるためにはしっかりした根拠を示すことが求められるため、書籍や論文などから信頼できる情報を入手しよう。また、最新情報はインターネットで手に入れればよいが、その情報の信ぴょう性はよく吟味する必要がある。「メディアリテラシー」つまり情報を正しく読み解く能力を付けよう。

● 出典は明らかにすること

書籍やインターネットから引用した情報をスライドに載せる場合は、その出典を明示するようにしよう。特に、インターネットのWebサイトから写真や図表などをコピーし、スライドにペーストすることが多いが、その際には出典元となるURLと著作権者をスライド下部に明記するようにしてほしい。授業でのプレゼンテーションでは著作権法第35条により著作権者の許諾なく複製してスライドを作成し、発表ができるが、他人の著作物を利用しているということを示す意味でも、出典の明記は必要である。また、授業外でプレゼンテーションを行う際には、他人の著作物については許諾をとるか、難しいようであればそのスライドは削除するなど配慮が必要である。さらに、プレゼンテーションスライドを配布資料として用いる場合が考えられるが、その際にも著作権への配慮を忘れないようにしていただきたい。

❸ 協力してプレゼンテーションを作ろう<グループ・ペアでの作成>

グループで協力して1つのプレゼンテーションを作成しよう。そのために必要な事項について見ていこう。まずは手順を**図16**で確認しておこう。

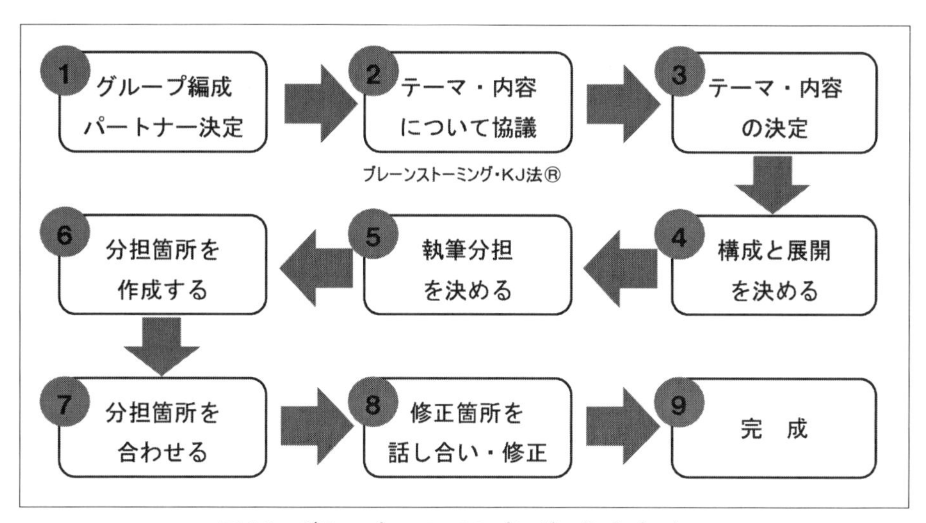

図16　グループ・ペアでのプレゼン作成プロセス

手順2の「テーマ・内容について協議」では、第一章の❺の「テーマに応じてプレゼンテーションの内容を決定する」の項で説明した「ブレーンストーミング」や「KJ法®」を用いて内容を決めよう。

■ プレゼンテーション作成のためのフォーマット

図16の手順4「構成と展開を決める」では、第一章の❻の「分かりやすい話の組み立て方」で解説したプレゼンの基本構造をもとに、作成の際のフォーマットに従ってプレゼンテーションを作成しよう。

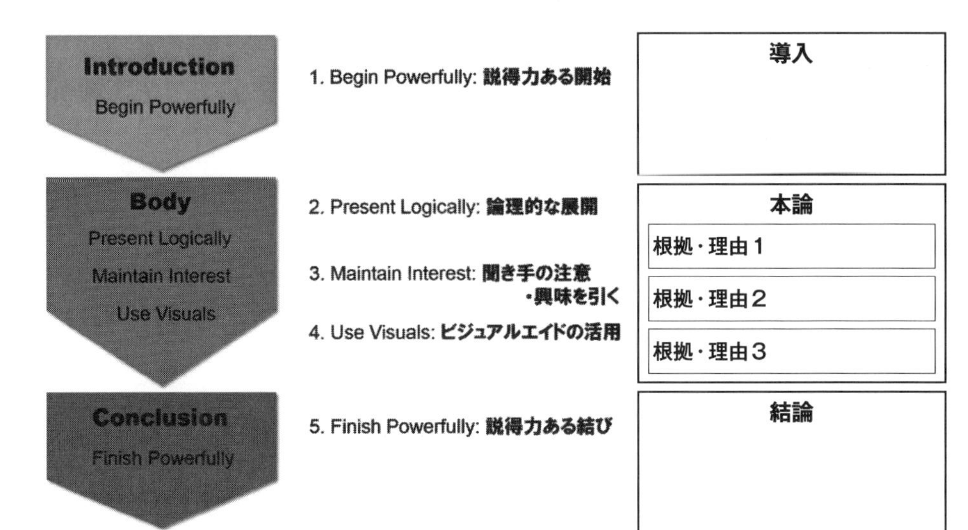

プレゼンの基本構造（Philip Deane, Kevin Reynolds, 2002）

■ 英文は簡潔に、構成は分かりやすく

プレゼンテーションはスライド等の視覚的補助はあるものの、基本的に口頭発表により情報が伝達される。そのため、難解な表現や回りくどい表現、複雑な論理展開などは、それだけで理解を妨げる要因になる。そこで、“Simple is best.”と考えてプレゼンテーション内容を作成しよう。

■ ５行エッセイで練習しよう

青野（2016）によると、「エッセイは見た目が９割」と述べており、分かりやすく見せようと文章を推敲することで、完成したエッセイ自体の見た目もきれいになるということである。エッセイの見た目がキレイとは、導入、本論、結論の論理展開がパラグラフできれいに整理され、それぞれのパラグラフの論旨が起承転結で分かりやすく示されるなど、「読みやすさ、分かりやすさ」のことを述べている。

また、青野（2016）は英語で「自分の考えを述べる」ための３つのルールとして、次の３点を挙げている。

① １行目で結論を述べる
② ２～４行目で理由を３つ挙げる
③ ５行目で結論を繰り返す

この３つのルールを青野(2016)は「バスの旅」と例示している。まず、①「最初に行き先を告げる」、②「３つの理由は絶景スポット」、③「最後に行き先に到着する」というわけである。プレゼンターは、聴き手を間違いなく自分の意図した目的という「行き先」まで連れて行かなくてはならないわけなので、この３つのルールに従って明瞭に語る必要がある。例えば、青野(2016)は次の5行エッセイを例示して説明している。

① I like winter.（結論）
② I can dress up.（理由1）
③ I enjoy winter sports.（理由2）
④ Seafoods are in season.（理由3）
⑤ Winter is my favorite season.（結論）

この５行エッセイを軸にして、それぞれの文をキーセンテンスにして起承転結の要素を加え、文章を膨らませることもできる。例えば、① I like winter.の文について膨らませる例を、青野(2016)の示す例で学ぼう。

■1文目の結論：I like winter.

We have four seasons in Japan.	（起：話題の提起）
Namely, they are spring, summer, fall, and winter.	（承：内訳を開示）
Among them, I like winter best.	（転：意見を提示）
There are three main reasons.	（結：場を締めて理由へ続ける）

役立つ英語表現

基本的なプレゼンテーション開始・終了の英語表現

プレゼンテーションでよく用いる開始から終了までの定型文を紹介する。

---

1 挨拶＞自己紹介

「皆さん、こんにちは。私の名前は～」

Hello, everyone. My name is Taro Yamada.
（皆さんこんにちは。私は山田太郎です。）

「私は～高校の～年生です。」

I am a second **year student** here at Meikun High School.
（明訓高校の２年生です。）

「～科・コースに在籍しています。」

I | **am in** / **belong to** | science and mathematics course.　（理数科に在籍しています。）

2 開始時の謝辞

「皆さん、～していただきありがとうございます」

I'd like to thank you all for coming today.
（皆さん、本日はお越しいただきありがとうございます。）

I'd like to thank you all for taking the time today.
（皆さん、本日はお時間をいただきありがとうございます。）

I appreciate you all for taking time out of your busy schedule.
（皆さん、お忙しい中お時間をお取りいただきありがとうございます。）

3 テーマの提示

「～についてお話ししたいと思います」

I'd like to | **talk about** / **discuss** / **present** | global climate change.
(世界的な気候変動についてお話ししたいと思います。)

I'm here today to tell you the results of the survey.
(本日は調査結果についてお話ししたいと思います。)

4 概要説明

「本日言いたいことは主に～あります」

There are three **main things I'd like to** | **say** / **tell you** | **today.**
(本日言いたいことは主に３つあります。)

「これが～の概要です」

This is a brief outline of our presentation.
(これが私たちのプレゼンテーションの概要です。)

5 本論を始める

「～を始めたいと思います / ～に移りたいと思います」

Now, I'd like to begin my presentation.
(それではプレゼンテーションを始めたいと思います。)

Now, I'd like to move on to the main part of my presentation.
(それではプレゼンテーションの本題に移りたいと思います。)

6 本論を展開する

「まず最初に / 次に / 最後に」

First of all, let me talk about the background of our research.
（まず最初に、私たちの研究の背景についてお話ししたいと思います。）

Then,	I'd like to	give you an explanation of	the procedure of our research.
Now,		explain	

（次に、私たちの研究手順について説明したいと思います。）

Finally, I'd like to tell you in detail the results of our research.
（最後に、私たちの研究結果の詳細についてお話ししたいと思います。）

7 結論・要点を述べる

「〜をまとめたいと思います」

Let me summarize the main points of my presentation.
（これまで話してきた内容の要点をまとめたいと思います。）

「〜をおさらいしてみたいと思います」

I'd like to go over the main points of my presentation.
（これまで話してきた内容の要点をおさらいしてみたいと思います。）

8 お礼を言う / 締めの言葉

「御清聴ありがとうございました」

Thank you very much for your attention.

Thank you for listening.
（御清聴ありがとうございました。）

I really appreciate your time.
（お時間をいただきありがとうございました。）

演習 ④ グループでのプレゼンテーション演習１<ブレーンストーミング>

■ グループを作ろう

４人から成るグループを作ってメンバーの名前を書こう。

①	②	③	④

■ テーマの選択と目的の設定 （約10分）

次の中からつグループで扱うテーマを１つ選び、プレゼンテーションの目的を設定しよう。

1 Our international understanding（私たちの国際理解）
2 Our international exchange activities（私たちの国際交流活動）
3 Our regional vitalization（私たちの地域活性化）
4 Our regional transmission plan（私たちの地域発信計画）
5 Our regional image of the future（私が考える将来の地域像）
6 Our volunteer activity（私たちのボランティア活動）
7 Our initiatives for a sustainable society（持続可能な社会のための私たちの取り組み）

【目的】

■ ファシリテーターを中心としたブレーンストーミング （約30分）

第一章の❺の「テーマに応じてプレゼンテーションの内容を決定する」の項で説明した発想法である「ブレーンストーミング」を用いてプレゼン内容のアイディアを出していこう。

ブレーンストーミングとは**４つのルール（①批判厳禁、②自由奔放、③質より量、④便乗歓迎）**を守りながら、連想ゲームのように互いの発想をつなげ、短時間にたくさんのアイディアを出していく発想法である（堀, 2016）。カギを握るのはファシリテーター（進行役）で、メンバーが４つのルールを守っているかを監視し、時に聞き役になったり、時に出た意見を掘り下げる質問をしたりするなど、上手く議論の場を盛り上げることが大切となる。まずは、ファシリテーターを決め、出たアイディアを記録しよう。

ファシリテーター：

記録

■ プレゼンフォーマットでストーリー作り　（約40分）

ブレーンストーミングで出たアイディアをプレゼンフォーマットを使って、ストーリーを作ろう。

導入（Introduction）
挨拶
自己紹介
概要

本論（Body）
主張（結論）
サポート

根拠・理由1

サポート

根拠・理由2

サポート

根拠・理由3

サポート

結論（Conclusion）
まとめ
締めくくり・謝辞

■ 紙芝居型プレゼンテーションをしてみよう（作成：約30分、発表：約20分）

上記のプレゼンフォーマットをもとにＡ３用紙10枚にまとめ、紙芝居型プレゼンテーションをしてみよう。ただし、内２枚はタイトル表紙と最後のEndページに充てること。プレゼン発表の際は、メンバー全員が発表できるよう分担して発表すること。なお、任意の２グループ間で発表することとする。また、他のグループが発表している時は次の評価の規準に基づいて評価する。

【評価規準】

評価項目		評価のポイント	点数
1	内容	① テーマと関連性（テーマに沿った内容だったか） ② 論点の一致と構成（論点に一貫性があり、序論・本論・結論等しっかりと構成が整っていたか） ③ 論拠の提示（具体例、経験、データなどを使用しており出典先が明確に記載されていたか） ④ 独創性と洞察力（オリジナリティに富んでおり、また、テーマ・課題に深く鋭く観察しているか）	／10
2	表現	① わかりやすさ（聴衆に対して分かりやすく説得力のある言葉を選択していたか） ② 言葉遣い（話し言葉になっていおらず、原稿を読み上げでなかったか） ③ 話し方（声の大きさは適当でスピードは適切であったか） ④ 動作（ボディーランゲージ、アイコンタクトなどにより聴衆に訴えかける熱意が感じられたか）	／10
3	紙スライド	① 視覚的アピールⅠ（見栄え、色使い、フォントサイズなど分かりやすかったか） ② 視覚的アピールⅡ（写真、図、チャート、グラフなど表現の工夫があったか） ③ 発表内容との関連性（発表内容とスライド関連性が高く、発表内容とスライド内容に隔たりが無かったか） ④ スライドの効果的使用（各スライドの見出しや大事な点の強調などスライドを効果的に使用していたか）	／10

■ 他者評価を書き留めよう

演習⑤ グループでのプレゼンテーション演習２ <ＫＪ法®>

■ グループを作ろう

４人から成るグループを作ってメンバーの名前を書こう。

①	②	③	④

■ テーマの共有と目的の設定 （約10分）

全てのグループが１つのテーマについて協議し、プレゼンテーションの目的を設定しよう。

【共通テーマ】 ・AIは人間を豊かにするか

【目的】

■ ＫＪ法®による主張点の洗い出しとグルーピング、ラベリング （約30分）

準備 → 発想 → グルーピング → ラベリング → 関連付け → まとめ → 発表

第一章の❺の「テーマに応じてプレゼンテーションの内容を決定する」の項で説明した発想法である「ＫＪ法®」を用いてプレゼン内容のアイディアを出していこう。まずは、ファシリテーター（進行役）を決め、出たアイディアを記録しよう。

手順を復習しておこう。①模造紙等の大きめの紙を準備し（**「準備」**）、②付箋紙などにアイディアや情報を制限時間（約10分）内で思いつくだけ、できるだけ多く書いて、模造紙等の紙の上に貼る（**「発想」**）。③内容的に近い（親和性の高い）付箋紙同士を、模造紙等の紙面上でそれぞれ１箇所に集める（**「グルーピング」**）。④各付箋紙グループの内容を要約して、それぞれに短い言葉でラベル（表札）を付ける（**「ラベリング」**）。⑤各付箋紙グループ同士の関係を調べ、矢印などでその関係を示す（**「関連付け」**）。⑥全体を見渡し、グループメンバー内で、結論としてどういうことが言えるのかを口頭でまとめる（**「まとめ」**）。⑦模造紙をクラス全体に提示し、各グループで結論を発表する（**「発表」**）。

ファシリテーター：

記録

■ プレゼンフォーマットでストーリー作り （約40分）

ＫＪ法®で出たアイディアをプレゼンフォーマットを使って、ストーリーを作ろう。

導入（Introduction）
挨拶
自己紹介
概要

本論（Body）
主張（結論）
サポート
根拠・理由１
サポート
根拠・理由２
サポート
根拠・理由３
サポート

結論（Conclusion）
まとめ
締めくくり・謝辞

■ 紙芝居型プレゼンテーションをしてみよう （作成：約30分、発表：約20分）

上記のプレゼンフォーマットをもとにＡ３用紙10枚にまとめ、紙芝居型プレゼンテーションをしてみよう。ただし、内２枚はタイトル表紙と最後のEndページに充てること。プレゼン発表の際は、メンバー全員が発表できるよう分担して発表すること。なお、任意の２グループ間で発表することとする。また、他のグループが発表している時は次の評価の規準に基づいて評価する。

【評価規準】

評価項目		評価のポイント	点　数
1	内容	① テーマと関連性（テーマに沿った内容だったか） ② 論点の一致と構成（論点に一貫性があり、序論・本論・結論等しっかりと構成が整っていたか） ③ 論拠の提示（具体例、経験、データなどを使用しており出典先が明確に記載されていたか） ④ 独創性と洞察力（オリジナリティに富んでおり、また、テーマ・課題に深く鋭く観察しているか）	／10
2	表現	① わかりやすさ（聴衆に対して分かりやすく説得力のある言葉を選択していたか） ② 言葉遣い（話し言葉になっていおらず、原稿を読み上げでなかったか） ③ 話し方（声の大きさは適当でスピードは適切であったか） ④ 動作（ボディーランゲージ、アイコンタクトなどにより聴衆に訴えかける熱意が感じられたか）	／10
3	紙スライド	① 視覚的アピールⅠ（見栄え、色使い、フォントサイズなど分かりやすかったか） ② 視覚的アピールⅡ（写真、図、チャート、グラフなど表現の工夫があったか） ③ 発表内容との関連性（発表内容とスライド関連性が高く、発表内容とスライド内容に隔たりが無かったか） ④ スライドの効果的使用（各スライドの見出しや大事な点の強調などスライドを効果的に使用していたか）	／10

■ 他者評価を書き留めよう

❹ 個人でプレゼンテーションを作ろう

第一章の❺の「テーマに応じてプレゼンテーションの内容を決定する」の項で説明した発想法である「マインドマップ®」(「関連樹木法」)を用いてプレゼン内容のアイディアを出していこう。

■ マインドマップ®を用いてテーマに関連する要素を書き出そう

マインドマップ®の方法を復習しておこう。

① 検討するテーマを用紙の中央に書く
② そこから太い枝を伸ばす
③ 太い枝から派生的にアイディアを細い枝で付け足す
④ 全く異なるアイディアが浮かんだら、中心から太い枝を伸ばし、それに関連するアイディアを細い枝で付け足す。

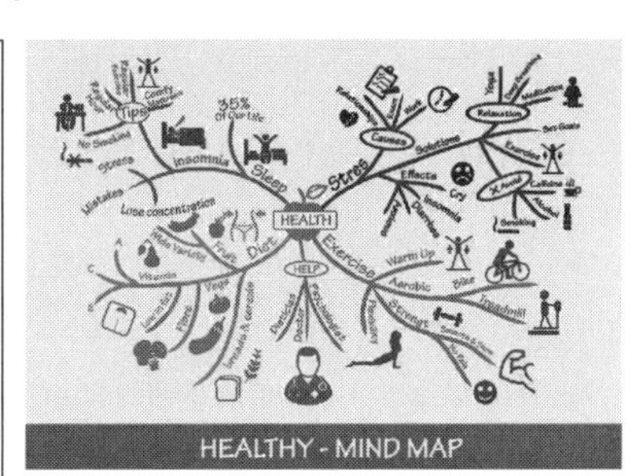

■ プレゼンテーション作成のためのフォーマット

第一章の❻の「分かりやすい話の組み立て方」で解説したプレゼンの基本構造をもとに、作成の際のフォーマットに従ってプレゼンテーションを作成しよう。

Introduction Begin Powerfully	1. Begin Powerfully: **説得力ある開始**	**導入**
Body Present Logically Maintain Interest Use Visuals	2. Present Logically: **論理的な展開** 3. Maintain Interest: **聞き手の注意・興味を引く** 4. Use Visuals: **ビジュアルエイドの活用**	**本論** 根拠・理由１ 根拠・理由２ 根拠・理由３
Conclusion Finish Powerfully	5. Finish Powerfully: **説得力ある結び**	**結論**

プレゼンの基本構造(Philip Deane, Kevin Reynolds, 2002)

役立つ英語表現

本論で役立つ英語表現

1 主張する

「～だと思う」：I think that ～ .

I think that communication gap is the most important issue.
（コミュニケーションの断絶が最も重要な問題だと思う。）

「～というのが私の意見です」：It's my opinion that ～ .

It's my opinion that communication gap is the most important issue.
（コミュニケーションの断絶が最も重要な問題だというのが私の意見だ。）

「私見ですが、～と思います」：
Let me tell you what I think. I think that ～ .

Let me tell you what I think. I think that communication gap is the most important issue.
（私見ですが。コミュニケーションの断絶が最も重要な問題だと思う。）

「～に関して意見があります」：I have an opinion on ～ .

I have an opinion on this subject. I think that communication gap is the most important issue.
（この件に関して意見があります。コミュニケーションの断絶が最も重要な問題だと思います。）

「率直に言って～」：Frankly, ～ .

Frankly, I don't think that we can work this out.
（率直に言って、私たちはこのことを解決できないと思う。）

2 理由を述べる

「～のために」: Because(Since・As) S + V, ... / Because of 名詞, ...

Because Japanese Prime Minister has declared a state of emergency, we should stay home.
(日本の総理大臣が緊急事態宣言を発出したので、私たちは家にいるべきである。)

Because of the declaration of a state of emergency, every event has been cancelled.
(緊急事態宣言のせいで、あらゆる行事が中止された。)

「理由は～である / ～だからである」:

The reason is that ～. / It's because ～.

The reason for this is that National Health Insurance is available in Japan.
(この理由は国民健康保険が日本では利用できるからである。)

It's because National Health Insurance is available in Japan.
(それは国民健康保険が日本では利用できるからである。)

「～には～の理由がある」:

There is a ～ reason why ～. / There is a ～ reason for ～.

There is a good reason why she's always the top of the class.
(彼女がいつもクラスの首席であることにはもっともな理由がある。)

There are three reasons for this.
(これには３つ理由がある。)

「そういう訳で～」: That's why ～.

That's why I chose rural depopulation as our theme today.
(そういう訳で、農村の過疎化を本日のテーマに選びました。)

3 例を挙げる

「例えば」：For example, For instance

For example, there is a proverb, "An apple a day keeps the doctor away."
（例えば「1日1個のリンゴで医者いらず」という諺がある。）

「～のような…」：…such as ～

I play sports **such as** tennis, soccer and baseball.
（私はテニス、サッカー、野球のようなスポーツをする。）

「例を挙げましょう」：Let me give you an example.

Let me give you some **examples.**
（いくつか例を挙げよう。）

「例をお示ししましょう」：Let me tell you about an example.

Let me tell you about a few **examples** where this has actually worked.
（うまくいった実例をお示ししよう。）

「例を見てみましょう」：Let's take a look at an example.

Let's take a look at the following **example.**
（次の例を見てみよう。）

「例えば～だっとしましょう」：Let's say that ～.

Let's say that you had a lot of money. What would you do?
（あなたに多くのお金があったとしよう。あなたはどうする？）

4 比較する

「AとBを比較すると～」：If you compare A with B, ～.

If you compare Japanese schools **with** American schools, you'll find there are many differences.
（日本の学校とアメリカの学校を比べると、多くの相違点があることに気付くだろう。）

Compared with their presentations, you can see ours are excellent in quality.
(彼らのプレゼンテーションと比べると、私たちのプレゼンテーションが質において勝っていることが分かるだろう。)

「一方～」: On the other hand, ～ .

Food is abundant, but **on the other hand,** water is running short.
(食料は豊富だが、一方水が不足してきている。)

5 提案する

「私の提案は～」: My suggestion is that ～ .

My suggestion is that we discuss the main topic at first.
(私の提案としては、まず主題について議論することだ。)

「～を提案したい」: I'd like to suggest that ～ .

I'd like to suggest that we discuss the main topic at first.
(私は、まず主題について議論することを提案したい。)

6 強調する

「～に間違いない」: There is no doubt that ～ .

There is no doubt that it is very delicious.
(それはとても美味しいに違いない。)

「間違いなく，～を疑うまでもなく」: Without (a) doubt, ～ .

Without a doubt, the country has been developing rapidly.
(間違いなく、その国は急速に発展してきている。)

「～を疑う余地もない」: There is no question that ～ .

There is no question that this problem will get more serious.
(この問題がもっと深刻になることは疑う余地もない。)

「絶対に、間違いなく、確かに,」: absolutely, definitely

I know **absolutely** nothing about that.
(私はそのことについてまったく何も知らない。)

I **definitely** remember posting the letter.
(私は確かにその手紙を投函したのを覚えている。)

「確かに、間違いなく」: certainly

It is **certainly** not true to say that buses don't come on time.
(バスが時間通りに来ないというのは確かに間違いだ。)

> **【確かさの度合い】**
> **absolutely > definitely > certainly > clearly > surely**

■ 強調構文

It is ~ that ….

It is nature **that** we need to protect.
(私たちが守る必要があるのは自然である。)

※強調構文は、一文の強調すべき部分をIt is ～ that の「～」の部分に入れれば出来上がり。

We need to protect nature.

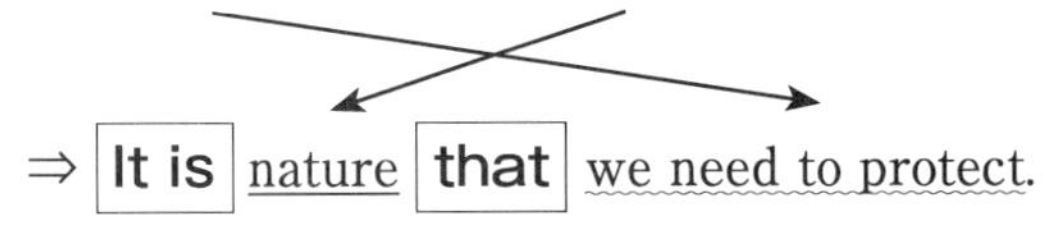

※逆に、このIt is ～ thatを取り除いた時に、元に戻せない文は「形式主語構文」と言う。

例: It is a pity that you don't know it.
(あなたがそれを知らないのは残念だ)

この場合、It is ～ thatを取り除くと、a pityとyou don't know itが残り、どのように並べ替えても意味のある一文には戻せないので、この文は「形式主語構文」である。

演習⑥ 個人でのプレゼンテーション演習

■ テーマの共有と目的の設定　（約10分）

テーマを１つ決定し、プレゼンテーションの目的を設定しよう。

【テーマ】

【目的】

■ 個人による発想法　マインドマップ®　（約30分）

「マインドマップ®」を用いてプレゼン内容のアイディアを出していこう。マインドマップ®（「関連樹木法」）の手順を確認しておこう。

① 検討するテーマを用紙の中央に書く
② そこから太い枝を伸ばす
③ 太い枝から派生的にアイディアを細い枝で付け足す
④ 全く異なるアイディアが浮かんだら、中心から太い枝を伸ばし、それに関連するアイディアを細い枝で付け足す。

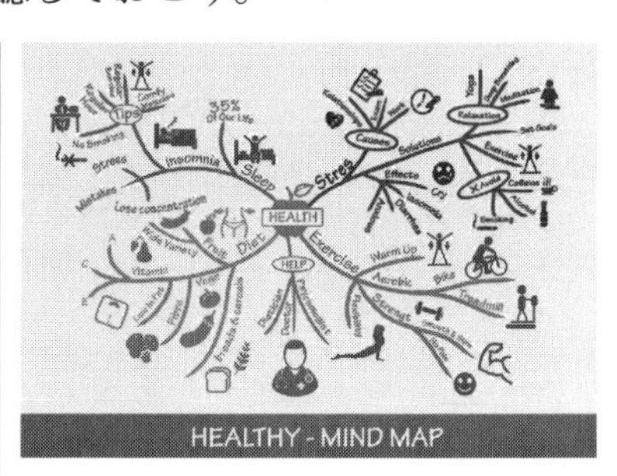

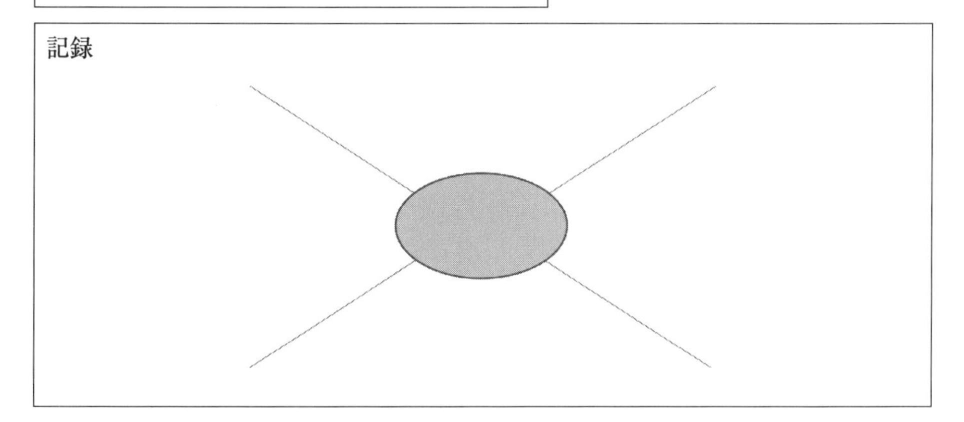

■ プレゼンフォーマットでストーリー作り （約40分）

アイディアをプレゼンフォーマットを使って、ストーリーを作ろう。

導入（Introduction）

挨拶

自己紹介

概要

本論（Body）

主張（結論）

サポート

根拠・理由1

サポート

根拠・理由2

サポート

根拠・理由3

サポート

結論（Conclusion）

まとめ

締めくくり・謝辞

■ 紙芝居型プレゼンテーションをしてみよう （作成：約30分、発表：約20分）

上記のプレゼンフォーマットをもとにＡ３用紙10枚にまとめ、紙芝居型プレゼンテーションをしてみよう。ただし、内２枚はタイトル表紙と最後のEndページに充てること。４～５名のグループ内でプレゼン発表をし、メンバー間で評価し合い、代表発表者を決める。その後、代表発表者がクラス全体で発表することとする。また、各発表者が発表している時は次の評価の規準に基づいて評価する。

【評価規準】

評価項目		評価のポイント	点　数
1	内容	①テーマと関連性（テーマに沿った内容だったか） ②論点の一致と構成（論点に一貫性があり、序論・本論・結論等しっかりと構成が整っていたか） ③論拠の提示（具体例、経験、データなどを使用しており出典先が明確に記載されていたか） ④独創性と洞察力（オリジナリティに富んでおり、また、テーマ・課題に深く鋭く観察しているか）	／10
2	表現	①わかりやすさ（聴衆に対して分かりやすく説得力のある言葉を選択していたか） ②言葉遣い（話し言葉になっていおらず、原稿を読み上げでなかったか） ③話し方（声の大きさは適当でスピードは適切であったか） ④動作（ボディーランゲージ、アイコンタクトなどにより聴衆に訴えかける熱意が感じられたか）	／10
3	紙スライド	①視覚的アピールⅠ（見栄え、色使い、フォントサイズなど分かりやすかったか） ②視覚的アピールⅡ（写真、図、チャート、グラフなど表現の工夫があったか） ③発表内容との関連性（発表内容とスライド関連性が高く、発表内容とスライド内容に隔たりが無かったか） ④スライドの効果的使用（各スライドの見出しや大事な点の強調などスライドを効果的に使用していたか）	／10

■ 他者評価を書き留めよう

第三章　分かりやすく伝えるための表現技術

❶ 最適な表現方法を選ぶ

第一章で述べたが、伝える内容に応じて最適な表現方法は異なる（**図17**）。それぞれ表現方法の特性を知って、最適な表現方法が選べるようにしておこう。ただ、最適な表現方法を選んだとしても、実際は会場の大きさや機器・機材の制約などにより、選んだ表現方法で提示できない場合もある。事前に会場とよく打ち合わせておく必要がある。**表3**にそれぞれの表現方法の特徴をまとめる。

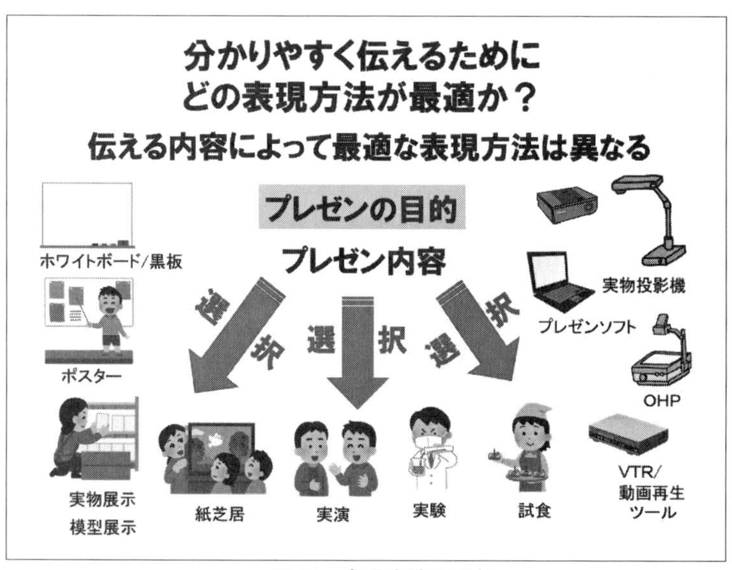

図17：表現方法の選択

表3：表現方法と適している内容

表現方法/機器		適している表現内容
	実物投影機	実物の大きさ、質感、形状を示すのに適しており、実物投影機を用い、プロジェクターでスクリーンに投影して示す。
	プレゼンテーションソフト	文字、画像、動画、音声が同じスライド内にまとめて示すことができるため、機器を切り替る必要がなく、簡易に発表するのに適している。パソコンを用い、プレゼンテーションソフトのスライドに発表内容をまとめ、デジタル紙芝居としてスクリーンにプロジェクターで投影する。

	ＶＴＲ・動画再生ツール	実際の動きを示したり、記録映像等を示したりするのに適している。DVD、Blu-ray、ビデオ等に記録された動画を各プレイヤーで再生して示す。またインターネット動画はＰＣやタブレットＰＣ等を介して示す。
	ＯＨＰ	ひと昔前の提示方法で、事前に透明なＯＨＰシートに文字等を転写しておき、そのシートをレンズの上に置き、下部の光源で照らすことで、光はOHPシートを透過して、上部の反射鏡で屈折し、スクリーンに拡大投影される仕組み。現在は実物投影機にその役目は変わっている。
	試食	食べ物の味や匂い、食感等を示すのに適している。ただし、会場によっては許可が必要であったり、食品衛生上事前の手続きが必要となる場合がある。
	実験	化学反応など、動画よりも実際の色や変化を示すのに適している。ただし、会場によっては許可が必要な場合がある。特に火気や薬品を取り扱う場合は事前の手続きが必要だったり、管理に注意が必要だったりする。
	実演	人と人とのやり取り等を再現して見せるのに適している。ただし、２人以上の場面を実演する際は協力者が必要となる。また、事前の打ち合わせや練習が必要となる。ただし、個人でのプレゼンテーションという条件が付いている場合には複数人での実演はできない。
	紙芝居	会場の機器や時間の関係等で、パソコンとプレゼンテーションソフトを用いたディジタルスライドが活用できない時には、昔ながらの紙による発表が適している。内容的には、ディジタルスライドの構成と変わらず、文字や絵で表現する。
	実物展示	商品陳列棚の配置方法等を示したい場合や、実際に物を並べた方が分かりやすい場合に適している。ただし、準備に時間がかかり、その後の撤収にも時間がかかるため、時間に制約のある発表の場合は向いていない。
	模型展示	建物の形状や配置等大きすぎて全体像をつかめないものを縮小して作成した模型により示す場合に適している。ただし、事前に大変な労力と時間を要する。
	ポスター	一律に発表するよりも、数名を対象に相手の質問を受け、理解度を確認しながら発表するのに適している。一枚の大きな紙に内容をまとめて掲示し、その前で口頭により説明をする。学会などでは多く採用されている形態で、一度に多くの人が発表の機会を得られるとともに、聴き手も自分の関心のある発表だけを聞けるというメリットもある。
	ホワイトボード/黒板	当日その場で要点を書き、まとめながら発表するのに適している。

❷ プレゼンスライド作成のポイント

プレゼンテーションの表現方法として、プレゼンテーションソフトによるスライドでの表現を選択した場合、スライド作成がスタートすることになる。このスライド作成はまさに十人十色で、同じ内容でも見やすいものから見づらいものまで様々なスライドが存在する。ここでは見やすく分かりやすいスライド作成のポイントを解説する。まず、その前に押さえておきたい３つの事項について述べる。

■ 押さえておきたい３つのポイント

その１　**【テンプレートは使わない】**

テンプレートは非常に便利な機能であるが、より自由度の高いスライド作りのためには、使用しないことをお勧めする。

PowerPoint®であれば、[ホーム] − [レイアウト] − [白紙] を選択する。

その２　**【開始ページと終了ページを作成】**

まず本であれば表紙と裏表紙にあたる「開始ページ」と「終了ページ」の作成しよう。

<必要な要素>　•「タイトル」　•「所属名」　•「氏名」

図18：開始ページ例

図19：終了ページ例

終了ページは基本的には、開始ページと同じでよいが、謝辞の“Thank you for listening.”を追加しておこう。

その３ 【各ページの表題の付け方】

各ページで何を伝えたいかを示すため表題を付けておくと分かりやすい。基本的には図20のように画面上部に帯状背景を図形挿入で作成し、その上にテキストボックスで表題文字を載せるとよい。

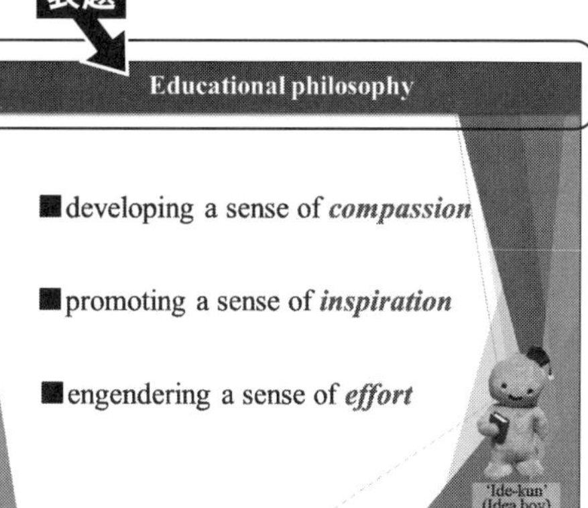

図20：各ページの表題

■ 気を付けるべき６つのポイント

スライド作成の際に気を付けるべき主なポイントは次の６点である。

これらのポイントについて見ていこう。

1．文字の大きさ
2．文字の色と背景色のコントラスト
3．文字の量，箇条書き，体言止め
4．写真や図，表の効果
5．アニメーション・動画による表現
6．著作権

① 文字の大きさ　何ポイントならOK？

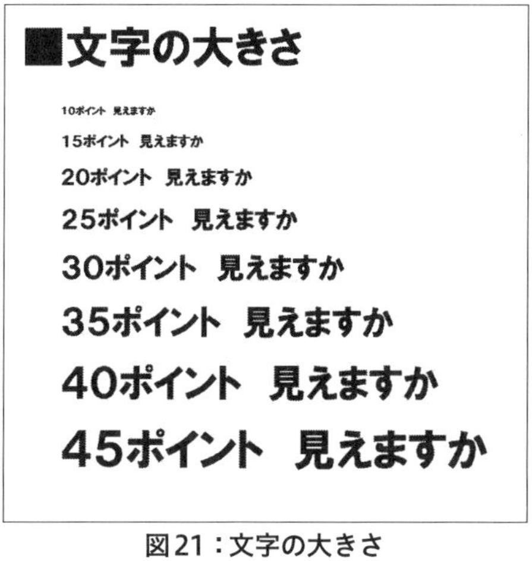

■文字の大きさ

10ポイント　見えますか
15ポイント　見えますか
20ポイント　見えますか
25ポイント　見えますか
30ポイント　見えますか
35ポイント　見えますか
40ポイント　見えますか
45ポイント　見えますか

図21：文字の大きさ

スライドに大切なことを書いていても、聴き手側から見えなければ意味がない。そこで、何ポイントで文字を表示したらよいだろうか。図21を見てほしい。実際にスクリーンに表示して、会場の最後列から見てみて、どの程度の大きさまで見えるか確認した方がよいが、一般的には、最低でも25ポイント以上の大きさがないと会場の最後尾からは見えない。見やすさから言うと**40ポイントが望ましい**。この文字の大きさから逆算すると、1スライド上に表示できる文字の数はかなり制限されることになり、よく**スライドに示す内容を推敲し、絞り込むことが必要**となる。この文字の量や示し方については後の項で説明する。

② 文字の色と背景色のコントラスト

スライドを準備する際に、自分のＰＣのモニターで見ていた色と、実際に会場でスクリーンに表示された色が大きく異なっていることは多々あることである。その点を踏まえて、見やすい文字の色と背景色のコントラストについて見ていこう。

■ 白色背景で一番見やすい文字色

背景色が白色の場合、一番見やすい文字色は断トツで「黒色」である。**図22**を見てほしい。縦が「色の種類」で、横が「濃淡」である。文字の見やすさを規定するのは、「色の種類」と「濃淡」である。それぞれ見比べてみてほしい。特に、黄色の文字は、濃淡が濃くてもほとんど見えない。背景が白色の場合、文字は黒色、青色、赤色の三色を基本として、濃淡は濃くして用いるとよい。

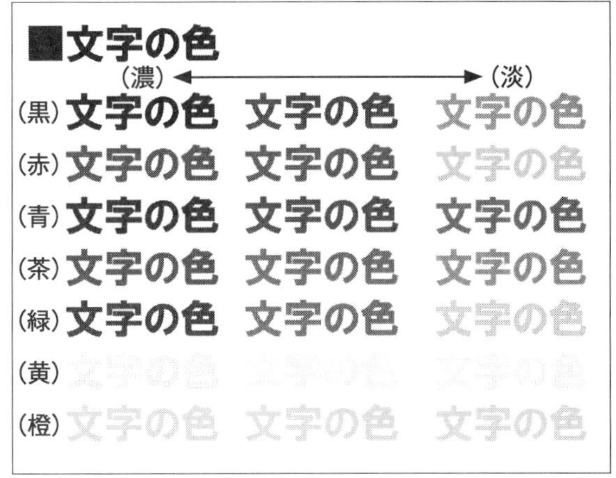

図22：白色背景で一番見やすい文字色

■ 白色以外の背景色と文字色のコントラスト

背景色と文字色のコントラストで見やすい場合と見づらい場合があることが分かる。**図23**に示すように、当然、暗い色（黒や深緑）の背景の上に、暗い色

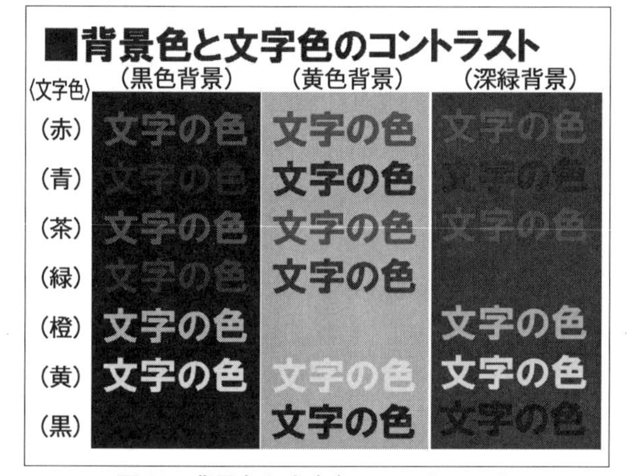

図23：背景色と文字色のコントラスト

の文字は見づらく、目立たない。同様に、明るい色（黄色や白）の背景の上に、明るい色の文字は見づらく、目立たない。また、「補色」の関係になっている緑色と赤色の組み合わせは、目がチカチカして見づらい。

これらのことからも、前項で述べた通り、一番見やすい組み合わせは、「白色背景に黒色文字」である。黒色以外では、濃い青色である。これらの組み合わせは、背景色と文字色を逆にしても見やすい。従って、濃い青色背景の上に白色文字を載せると、白抜き文字となって見やすく、各ページの表題として最適である。さらに目立たせたい場合は、黄色背景に黒色文字を載せるとよい。この組み合わせは「警告」の組み合わせとして、交通標識に採用されている。

③ 文字の量は少なく、箇条書き、体言止めで

1つのスライドでどれだけ情報を入れるか悩むところであるが、欲張り過ぎると分かりづらくなってしまう。出来るだけ情報は整理して、多いようなら何

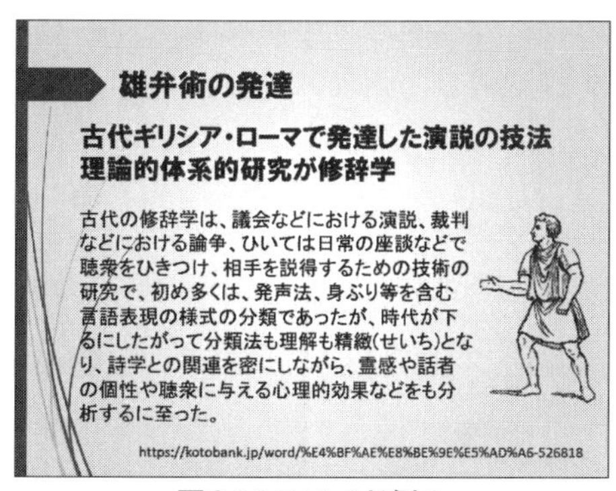

図24：スライド例1

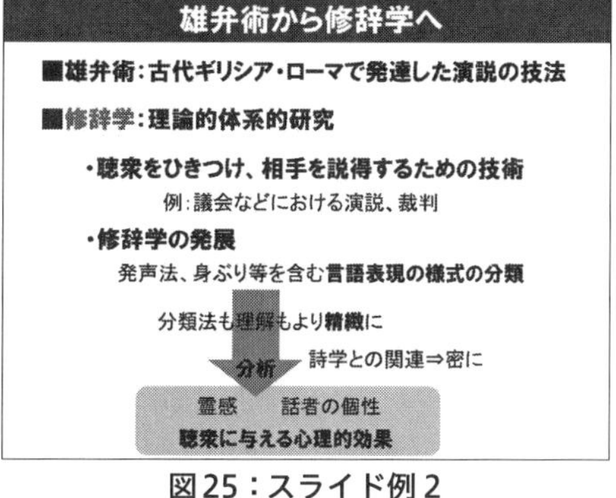

図25：スライド例2

スライドかに分けるとよい。1つのスライドに入れる情報内容が決まったら、どのようにスライド上に表現するかが、分かりやすいスライドになるか否かの分かれ道である。**図24**と**図25**のスライド例を見比べてみてほしい。どちらのスライドが、一目見た時に、より情報が頭に入ってきやすいだろうか。テーマも情報量も同じなのに、図25のスライド例2の方が断然短時間で情報を頭に入れやすいことが分かるだろう。ここに分かりやすいスライド作りのヒントがある。

次の3つのポイントに気を付けよう。

1．文字の量は少なくする
2．箇条書きにする
3．体言止めにする

■文字の量⇒少なく
■箇条書きにする
■各項目を体言止めにする
◆項目をキャッチフレーズ化
キーワード化

図24のように、文章をどこかからコピーしてきてそのままペーストするようなことは絶対に避けてほしい。

文章内容をスライドにしたい時は、各項目をキャッチフレーズ化、キーワード化して、体言止めで簡潔に示すようにしよう。そして、その言葉と言葉の行間はプレゼンターのあなたが口頭で補い、説明するのである。

時に、プレゼンテーションスライドに書いてある言葉や項目を延々と読み上げる人を見かけるが、それではプレゼンテーションを行う意味が全くない。つまりスライド上に書かれている言葉や項目は、当然聴き手にも見えているわけで、同じ内容を読み上げてもらわなくても理解できるからである。スライド上に挙げてあるキーワードの意味を具体的なエピソードで解説したり、キーワードとキーワードの関係性を矢印で示しながら説明したりするなど、いかにスライドで示されている情報を、口頭発表で理解させ、納得させて、さらにその情報に新情報を加えられるかが重要なのである。今一度プレゼンテーションの意味を考えていただきたい。

④ 写真や図、グラフ、表の効果

プレゼンテーションスライドを視覚的に、魅力的にする方法として、写真や図、グラフ、表の利用がある。ＴＥＤ等の著名な人達のプレゼンテーションを見てみると、スライドには写真しか表示されていないことが多い。あくまでも話の方に中心があるわけだが、スライドとして示すからには、そこに意図がなくてはならない。その点でどんな写真や図を示すかは入念に考える必要がある。そうしなければ何を言いたいスライドなのかが分からない。

これからプレゼンテーションを学び行う人は、あまり一足飛びに達人のマネをしないで、スライドに写真だけでなく、表題やその要点を文字でまとめて、入れるようにしよう。そして、常に分かりやすいスライド作りを心がけよう。

写真を用いた例として、**図26**と**図27**のスライドを見てほしい。これは2つの写真がどこの国の様子を撮ったものかを当てさせるためのものである。そのため質問文だけが各スライドに入っている。示し方としては、図26を見せ、聴き手は写真の中の情報を読み取り、数人が国名を回答する。次に図27を見せ、数人に国名を解答してもらう。図26については、「アメリカのハワイ」とか「モルディブ」などの解答が挙がる。図27については、「ベトナム」とか「カンボジア」などの解答が聞かれる。その後、解答スライドで「解答：どちらの写真もフィリピン・セブ島のもの」と示すわけである。

どこの国の写真？

図26：スライド例3

図27：スライド例4

つまり、ここで写真をスライドに貼って示す意図は、異文化理解のためのクイズとして、①写真から情報を読み取り、自分の知識に照らして解答させることと、②どちらの写真も同じ国のものという解答を得た時に、自分たちが固定観念として図26のイメージをもっている国や場所であっても、一方で図27のような現状もあることをより理解しやすくすることである。

さらに、図や矢印は聴き手の思考を整理させるのに有効である。例えば、**図28**を見てみよう。研究のプロセスが第１次、第２次、第３次と３段階に分かれていることが分かりやすくなる。

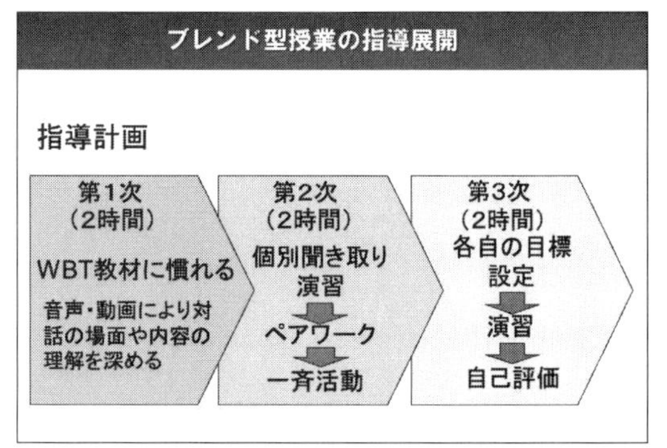

図28：スライド例5

⑤ アニメーション・動画による表現はありか？

プレゼンテーションソフトにはアニメーションという機能がついている。このアニメーションとは、1スライドの中で言葉や図を順番に、スライドインやフェードといった動きとともに表示したい時に有用である。例えば、スライドに問題を表示しておき、数人に解答させた後、同じスライドに解答をスライドインのアニメーションをつけて表示させるといった際に用いる。この言葉等の出現のさせ方もバリエーションに富んでいて、様々な動きや音をつけて目立たせることができる。

プレゼンテーションソフトに慣れてくると、アニメーションの動きが楽しくてついつい付けすぎてしまうものである。しかしながら、聴き手の方は、あまりアニメーションが多用されると煩わしくなって、嫌な気持ちになるものである。アニメーションは最小限にとどめるべきである。

動画については、プレゼンテーションスライド内に挿入することができるが、動画の使用はできる限り最小限にとどめてほしい。例えば、発芽の様子をタイムラプスで示したり、跳び箱の飛び方を示したりする際のように動画でなければ示せない内容は動画で示せばよいが、表示する時間は数十秒にとどめるべきである。つまり、動画を再生している間、貴重な発表時間をあなたは奪われていることになるからである。聴き手はあなた自身の言葉を求めており、技術的にできても、行わない方が効果的であれば行わない勇気を持とう。

⑥ プレゼンテーションと著作権

■ 著作権と引用

世の中にあふれている文章や絵、写真、音楽、映画等々、様々な表現物は「著作物」であり、著作者が表現した時点から、「著作権」が発生し、保護されている。例えば、赤ちゃんがクレヨンで落書きをした絵も立派な「著作物」であって、誰かが勝手にホームページに掲載したり、コピーして配ったりすると、著作権侵害を犯していることになる。他人の著作物をあなたが利用したい場合は、著作権者の「許諾」を受けなければならない。この点に十分に気を付けていただきたい。

では、プレゼンテーションを行う際にどんな著作権が関連してくるのだろうか。まず、スライドを作成する時に、そこに記載する文、図、表や写真等はあなたが書いたもの、撮ったものだろうか。もし、勝手に誰かのWebサイトからコピー&ペーストしたものならば、それは許可を得ずに他人の物を盗んだのと同じことである。「基本的に他人の著作物を利用する際は、著作権者の許諾を得ることと、表記への配慮が必要」だと考えてほしい。

では、プレゼンテーションを作る時に、1つ1つ許諾をとるのは非現実的で、「やーめた」と思う人もいるかもしれない。ただ、次の「引用」ルールと配慮があれば、他人の著作物を、著作権者の許諾を得なくても一定の範囲内で利用できることになる。

【引用のルール】

他人の著作物を記載する場合、**「引用」**という形で、①**引用の必要性があること**をよく確認した上で**【必要性】**、②**出典を明示**し**【出典】**、自分の記述を主として③**主従関係が明確**で、主従が逆転しないように**【主従明確性】**、かつ、④**改変せず**、⑤**引用部分がよく分かる**ように**【明瞭区別性】**、記載する。

なお、画像や写真の場合、その引用の必要性を示しづらいものもあるため、著作権者の許諾をあらかじめ取っておくか、著作権フリー素材を活用した方がよい。

従って、著作物をプレゼンテーションスライド作成において扱う場合の配慮として、次の3つの手だての内のいずれかを行うとよい。

① 引用の範囲内で、引用のルールに則って、表記に十分配慮して利用する
② 著作権フリー素材を利用する
③ 著作権者から許諾をとる

以上が基本的な著作権に対する考え方と引用のルールである。

■ 学校その他の教育機関における複製

もしあなたが生徒または学生、あるいは教師であるならば、著作権法第35条「学校その他の教育機関における複製」についても知っておこう。学校その他の教育機関の教師とその生徒・学生はその授業の過程において、必要限度、公表された著作物を著作権者の許諾なく複製することができる。つまり、授業でプレゼンテーションを作成し、指導したり発表したりする場合、その授業を担当する教師と指導を受ける生徒・学生は、許諾を受けなくても著作物を複製して、利用することができるわけである。

【注意！】

■ 必要限度の利用を

著作権法第35条により、教師や生徒・学生は、授業の過程ならば、著作権者から許諾を受けなくても著作物を複製して利用できるからといって、必要以上に転載したり、必要以上の部数複製を作成したりしてはいけない。引用する場合、必要限度の引用となるよう引用のルールを守ってもらいたい。

■ 著作権法第35条の適応範囲

学校の敷地内だったら何にでも第35条がおよぶと都合のよい解釈する人がいるが、大きな間違いである。この第35条の教育上の特例条項は、**「授業の過程」**に限られており、授業外の教員対象の研究会や、学校外の場所での講演会には適応されない。従って、授業の過程で生徒・学生が作成したプレゼンテーションスライドについて、授業時は第35条の規定が適応されていても、そのスライドを放課後の教員研修や学校外の研究会などに持って行き提示する際は、教育上の特例は適応されないため、そのスライド内に許諾の必要な物はないかをよく確認しておく必要がある。

授業外でスライドを提示する可能性のある場合は、作成に当たって前項にも述べた３つの手だて（①引用の範囲内で、引用のルールに則って、表記に十分配慮して利用する，②著作権フリー素材を利用する，③著作権者から許諾をとる）のいずれかを行う必要がある。

また、学習成果としてWebサイトにプレゼンテーションスライドを掲載する場合も、上記の点に留意して、著作権侵害にならないよう、必要な場合は許諾をとるなど十分に気を付けていただきたい。

■ 授業目的公衆送信補償金制度

平成30年の著作権法改正により、「授業目的公衆送信補償金制度」が創設された。これは、例えば、授業目的で、著作物または著作物を含むプレゼンテーションスライドを遠隔授業等のために公衆送信したい場合、同制度のもと、当該教育機関の設置者が指定管理団体に補償金を支払うことで、著作権者の許諾を得ることなく著作物または著作物を含むプレゼンテーションスライドを公衆送信することができる。

＜参考＞

・文化庁－著作権
https://www.bunka.go.jp/seisaku/chosakuken/index.html
・著作権なるほど質問箱
https://pf.bunka.go.jp/chosaku/chosakuken/naruhodo/index.asp
・教育の情報化の推進のための著作権法改正の概要
https://www.bunka.go.jp/seisaku/chosakuken/hokaisei/h30_hokaisei/pdf/r1406693_14.pdf

役立つ英語表現

スライド提示の際の英語表現

スライドで扱う図、グラフ、表は、大きく分けると、図(Figure)と表(Table)の２種類になる。それぞれに番号を付け、図１(Figure 1)、表１(Table 1)という風に指し示す。

この図(Figure)の中には、図解や写真、円グラフ、棒グラフ、折れ線グラフなどが含まれる。

---

1 図、グラフ、表の説明

「～を見てください」：Please take a look at ～ .

Please take a look at figure 1.
(図１を見てください。)

Please take a look at Table 1.
(表１を見てください。)

Please take a look at the pie chart in Figure 1.
(図１の円グラフを見てください。)

Please take a look at the column chart in Figure 1.
(図１の縦棒グラフを見てください。)

Please take a look at the bar chart in Figure 1.
(図１の横棒グラフを見てください。)

Please take a look at the line graph in Figure 1.
(図１の折れ線グラフを見てください。)

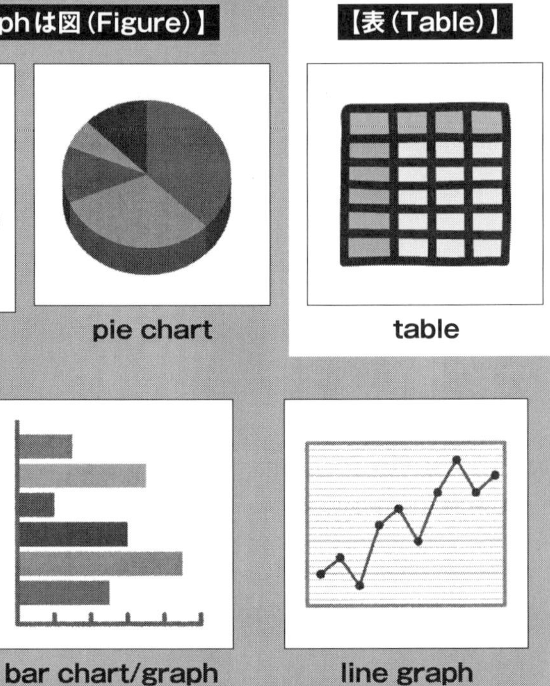

【figure / chart / graphは図（Figure）】
【表（Table）】
分かりやすく伝えるために
どの表現方法が最適か？
伝える内容によって最適な表現方法は異なる
プレゼンの目的
プレゼン内容
ホワイトボード/黒板
ポスター
実物投影機
プレゼンソフト
OHP
VTR/
動画再生
ツール
実物展示
模型展示
紙芝居
実演
実験
試食
figure
pie chart
table
column chart/graph
bar chart/graph
line graph

「～を示している」：show ～

This **shows** the results of the questionnaire.
（これはアンケートの回答結果を示している。）

This graph **shows** that the number of participants will increase rapidly.
（このグラフは参加者数が急速に増加するであろうことを示している。）

The vertical line **shows** the degree of satisfaction and the horizontal one (**shows**) ages.
（縦軸は満足度を示しており、横軸は年齢を示している。）

「～を説明する」：explain ～

I'd like to **explain** this column chart.
（この縦棒グラフを説明したいと思う。）

「～に基づいている」：be based on ～

This survey **is based on** the questionnaire given to 300 students.
（この調査は300人の生徒に対して行われたアンケートに基づいている。）

「～によると」：according to ～

According to the results of the questionnaire, 50% of the students are very interested in English.
（そのアンケート結果によると、生徒の50%が英語に大変関心を持っている。）

「～と回答している」：answer ～

25% of the students **answered** "Yes, I think so."
（生徒の25%が「はい、そう思います」と回答した。）

■本論で役立つ英語表現

青野(2016)は、エッセイの中身を磨く７つのルールとシグナルとして次の項目を挙げている。ぜひ参考にしたい。

① **最もシンプルな文の形を使う：**単文で書く
② **構成を示す：**シグナル　First, Second, Third, Overall
③ **証拠を示す：**具体例が理由の証拠になる
④ **関連を示す：**文と文をつなげる
　例示と追加のキーワード　For example, Also, Moreover
⑤**帰結を示す：**最初と最後で中身をサンドイッチ
　帰結のキーワード　Thus, Hence, Therefore, As a result, Consequently, Accordingly, Because of this
⑥ **本題に導く：**語り出しや締めくくりに「遊び」を挿入し相手をロジックに引き入れる
　起承転結で肉付け
⑦ **余韻を持たせる：**最後の結論にいくつかの文を加え、余韻を残す

<シグナル>

まず	次に	最後に	要するに
First	Second	Third	Overall
First of all	Besides	Finally	In conclusion
To begin with	Next	Furthermore	To sum up

❸ スライドを作ってプレゼンテーションしてみよう

■ 第一章の演習②「例２ 教育の役割 The Role of Education」のスライド作成例を次に示す。

スライド１

スライド２

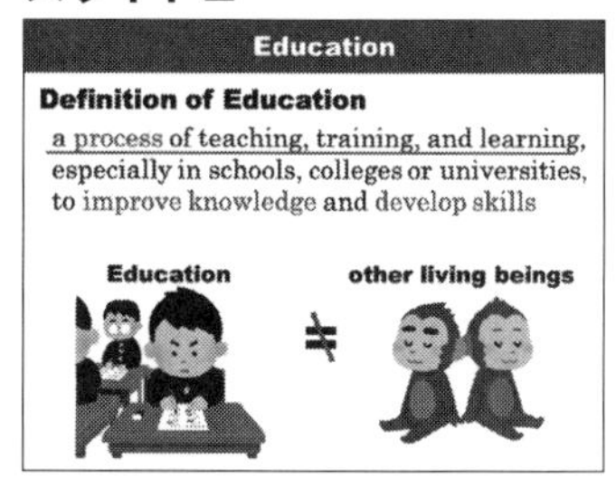

スライド３

スライド４

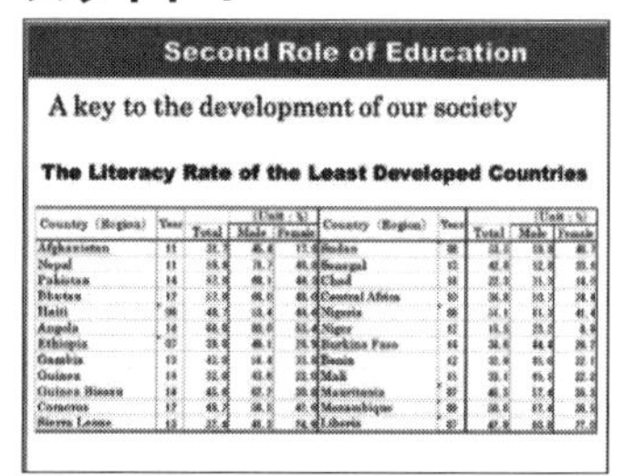

スライド５

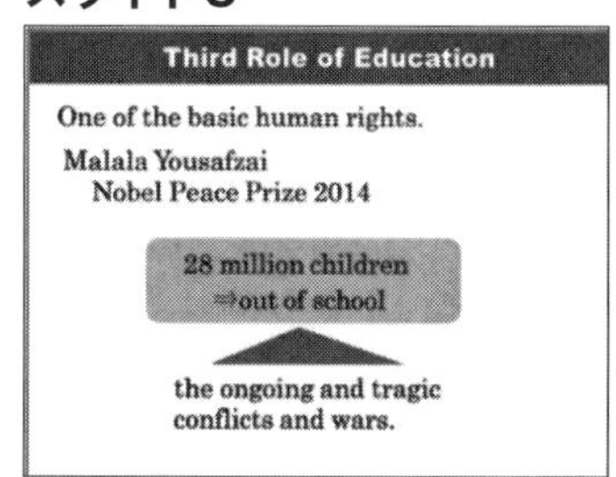

スライド６

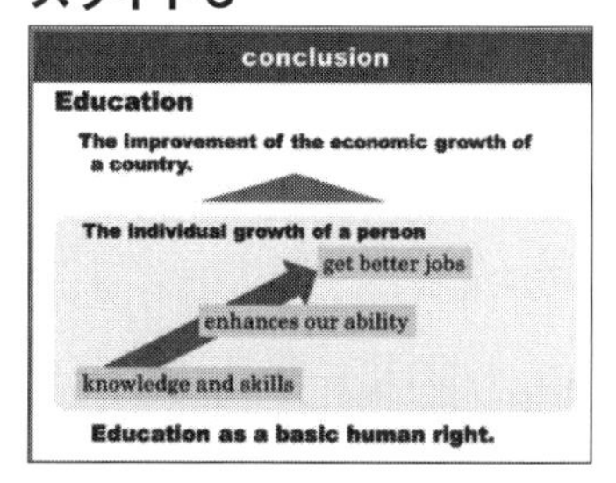

スライド７

■ 内容理解のために各スライドに対応するプレゼン原稿箇所の内容を日本語でまとめよう。

スライド1 l.1 Good morning, everyone. ～

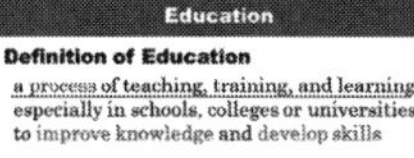

スライド2 l.4 What comes to your mind when you hear 'Education'? ～

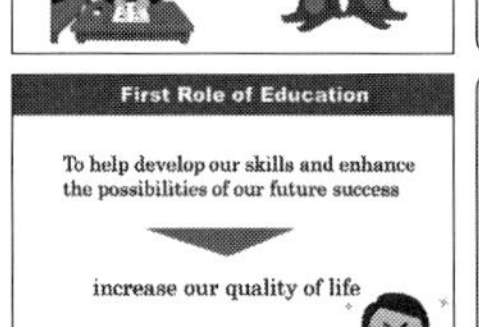

スライド3 l.13 First, education can help develop our skills and enhance the possibilities of our future success. ～

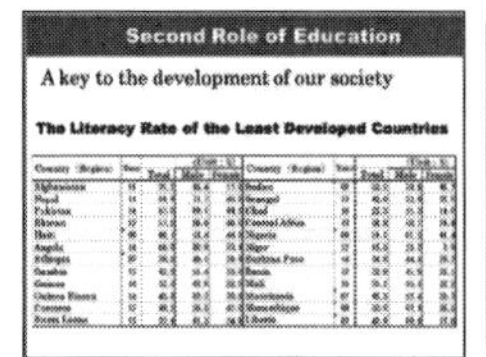

スライド4 l.17 Second, education is a key to the development of our society. ～

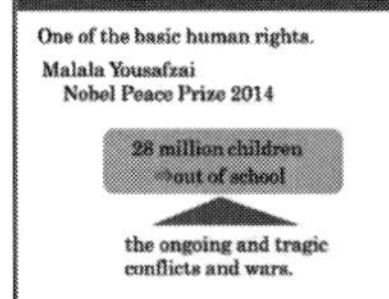

スライド5 l.24 Third, education is one of the basic human rights. ～

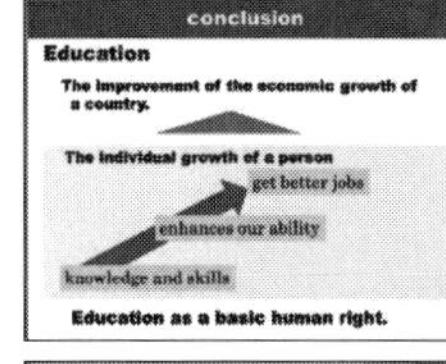

スライド6 l.34 In conclusion, education gives us various kinds of knowledge and skills ～

スライド7 l.39 Thank you for listening.

第二章で作成した紙芝居型プレゼンテーションをスライドにしてみよう

1　スライド計画を立てよう

10分間発表の時間を与えられたとして、スライドを作成してみよう。1分間に２枚ずつスライドを提示するとしたら20枚のスライドが必要となるが、そのようにペースよく発表できるとは限らない。開始スライドと終了スライドの各１枚は別として、最初は20枚の６割、つまり12枚の内容スライドを作っておこう。時間を計りながら発表練習をし、余裕があるようならスライドを追加し、その逆であれば削るとよい。従って、計14枚のスライド計画を立ててみよう。

開始スライド

1

2

3

4

5

6

7

8

9

10

11

12

終了スライド

2 評価し合おう

発表者のプレゼンテーションを互いに評価し合うことで、自分では気付けなかったことに気付くことができる。次の英語版の評価規準に基づいて評価しよう。

評価項目		評価のポイント	点 数
1	Contents	① Content relevance to theme ② Clear Introduction-Body-Conclusion ③ Clear argumentation and support through examples, experience and acknowledged information sources ④ Originality and depth of insight	/ 25
2	Expression	① Linguistic accuracy (pronunciation, intonation, spelling) and clarity of information ② Wording (technical vocabulary) and not reading from the script ③ Voice (volume and pacing) ④ Body language, enthusiasm, eye contact	/ 25
3	Slide	① Visual appeal 1: General appearance, use of color, comprehensibility, font size ② Visual appeal 2: Use of photos, diagrams, charts ③ Relevance of explanation to the slide content ④ Effective use of slides to emphasise important points	/ 25

【実習課題】

■ ＰＣ実習① グループでのスライドを用いたプレゼンテーション

・第二章の演習④で発表した内容をもとにスライドを作成し、プレゼンテーションしてみよう

・他のグループと互いに評価し合い改善点を見つけよう

・改善点をもとに修正して再度プレゼンテーションしてみよう

■ ＰＣ実習② グループでのスライドを用いたプレゼンテーション

・第二章の演習⑤で発表した内容をもとにスライドを作成し、プレゼンテーションしてみよう

・他のグループと互いに評価し合い改善点を見つけよう

・改善点をもとに修正して再度プレゼンテーションしてみよう

■ ＰＣ実習③ 個人でのスライドを用いたプレゼンテーション

・第二章の演習⑥で発表した内容をもとにスライドを作成し、プレゼンテーションしてみよう

・他の人と互いに評価し合い改善点を見つけよう

・改善点をもとに修正して再度プレゼンテーションしてみよう

第四章　プレゼンテーションコンテストを開こう

❶ コンテストの企画・実施と審査の規準

プレゼンテーションも何か目標があると取り組むモチベーションを高めてくれる。練習にも力が入るし、新しい技術を身に付けようと自らを振り返り改善しようという気持ちにもなる。一般のプレゼンテーションコンテストに応募してもよいが、そう都合よく、いいタイミングで開催されるとは限らない。そこで、クラスや学科単位でコンテストを企画してみるのもよい。

■ プレゼンテーションの企画と実施

この項ではプレゼンテーションコンテストを開催するには何が必要かについて触れる。まず、企画・実施手順は次の通り。

① 企画の趣旨、規模、参加者対象者、実施スケジュール等の決定
② テーマの選定（複数テーマからの選択、あるいは共通テーマ）
③ 発表形態の決定（個人、あるいはグループ）
④ 発表方法の決定（プレゼンテーションソフトの使用等）
⑤ 実施要項の取りまとめ
⑥ 周知・広報
⑦ 審査規準の作成及び審査員の選定と依頼
⑧ 会場・設備の準備
⑨ 当日の進行確認、役割分担
⑩ コンテストの開催
⑪ 反省点の洗い出し

■ 審査の規準

審査員を選定したら、審査の規準を説明し、理解していただこう。一般のプレゼンテーションコンテストは、「質疑応答」の様子も審査の評価項目に入れることが多い。さらに、「全体の印象」も評価項目に入れておくと、各審査項目の評価のブレを修正しやすい。また、発表時間については、審査員によって違いは生まれないため、審査員から審査カードを集めた後に集計係の方で減点処理をするとよい。審査票の例を**表4**に示す。

表4：プレゼンコンテスト審査票（英語版）

審査項目		審査のポイント	点　数
1	Contents	① Content relevance to theme ② Clear Introduction-Body-Conclusion ③ Clear argumentation and support through examples, experience and acknowledged information sources ④ Originality and depth of insight	／25
2	Expression	① Linguistic accuracy (pronunciation, intonation, spelling) and clarity of information ② Wording (technical vocabulary) and not reading from the script ③ Voice (volume and pacing) ④ Body language, enthusiasm, eye contact	／25
3	Slide	① Visual appeal 1: General appearance, use of color, comprehensibility, font size ② Visual appeal 2: Use of photos, diagrams, charts ③ Relevance of explanation to the slide content ④ Effective use of slides to emphasise important points	／20
4	Q&A	① Comprehension of Questions ③ Response to Questions ③ Strength of answers during Q&A	／10
5	Overall impression	① Overall impact or interest to the audience ② Overall cogency 【Evaluation criteria： Normal 10-13 points, Good 14-16 points, Execellent 17-19 points, Perfect 20 points】	／20

Time	① Staying within the 10 minute time limit * Within 8 minutes -3 point: Over 10 min 30 sec～11 min -3 point; Over 11 min ～12 min -6 points. Over 12 minutes (forced termination) -9 points * To subtract each point from the total score

❷ 他の人のプレゼンテーションから学ぶ

第一章の❼「磨きをかける：改善のための方法」でも述べたが、他の人のプレゼンテーションを見て、気付いた点を記録し、後で評価し合うのは、発表者にとってだけでなく、聴き手にとってもプレゼンテーションの感度を上げる意味でも非常に大切である。恐らくすべての聴き手が発表者の話や話し方から学ぼうという姿勢は持っているとは思うが、ただ静かに聴いているだけでは、なかなか学びのポイントに気付けないものである。聴き手は他の人の発表に向けてどんな準備をすべきだろうか。

■ 自分の課題点を視点として他人の発表を聴く

自分が通常上手くいかない点を他人はどう対処しているかを参考にするという視点で聴いてみよう。例えば、自分は緊張して、原稿ばかりを見てしまうが、他の人はどうしているかとか、場の雰囲気をよくするために何をしているか等、参考にできる技術はしっかり学び取ろう。

■ 質問事項を探しながら他人の発表を聴く

どんなに自分が詳しくない分野の話でも、必ず発表後質問すると決めて、質問することを探しながら聴くとよい。こうすることで発表者の論点に気付きやすいという効果が期待できる。さらに、質問についても、最初は当たり前のようなことしか聞けなくても、次第にするどい質問ができるようになってくる。質問力を磨こう。

❸ 新学習指導要領とプレゼンテーション

高等学校において2022年度入学生から順次年次進行で実施される新学習指導要領において、外国語科に新たに「論理・表現Ⅰ」「論理・表現Ⅱ」「論理・表現Ⅲ」が設定される。これらの科目は「話すこと」「書くこと」を中心とした発信力の強化を図るため、特にスピーチ、プレゼンテーション、ディベート、ディスカッション、まとまりのある文章を書くことなどを扱う（文部科学省, 2018）。

文部科学省（2018）の示すそれぞれの目標は次の通りである。

「論理・表現Ⅰ」：スピーチ、プレゼンテーション、ディベート、ディスカッション、**一つの段落を書くこと**などを通して、**論理の構成や展開を工夫**して、話したり書いたりして伝える又は伝え合うことなどができるようになることを目標としている。

「論理・表現Ⅱ」：スピーチ、プレゼンテーション、ディベート、ディスカッション、**複数の段落から成る文章を書くこと**などを通して、**論理の構成や展開を工夫**して、話したり書いたりして詳しく伝える又は伝え合うことなどができるようになることを目標としている。

「論理・表現Ⅲ」：スピーチ、プレゼンテーション、ディベート、ディスカッション、**複数の段落から成る文章を書くこと**などを通して、**聞き手や読み手を説得できる**よう、**論理の構成や展開を工夫**して、話したり書いたりして詳しく伝える又は伝え合うことなどができるようになることを目標としている。

これらの目標からも分かるように、単に英語の意味が分かるとか、自分の言いたいことが英語で言えるというだけでなく、自分の意図が相手に伝わり、聴き手を説得できるような論理構成や展開をする力が求められている。いわゆる、プレゼンテーション能力の育成に焦点が当たっているわけである。本書で学んだことが大いに皆さんの力になることと考えている。

プレゼン練習７つのStep

- □ *Step 1*　原稿を見て何度も練習する
- □ *Step 2*　だいたい原稿内容が頭に入ったら、原稿を見ずに話してみる
- □ *Step 3*　何度も間違える箇所を中心に練習する
- □ *Step 4*　本番のつもりで鏡に向かって練習する
- □ *Step 5*　言い間違えても止めず、原稿に頼らずに別の表現で続けてみる
- □ *Step 6*　原稿の見られない場所（お風呂など）でシミュレーションする
- □ *Step 7*　時間を計りながら最終調整をする

モデルプレゼンテーションの関連語・日本語訳

■ 例1　入部の理由

部活動：運動部	
野球部	baseball club
軟式野球部	rubber-ball baseball club/ soft baseball club
陸上部	track and field club
テニス部	tennis club
バスケットボール部	basketball club
バドミントン部	badminton club
バレーボール部	volleyball club
ハンドボール部	handball club
ソフトボール部	softball club
卓球部	table tennis club
ダンス部	dance club
チアリーダー部	cheerleading club
ラグビー部	ragby club
水泳部	swimming club
弓道部	archery club
剣道部	kendo club
柔道部	judo club
新体操部	rhithmic gymastics club
体操部	athletic club / gymnastics club
ボート（漕艇）部	boat club
ヨット部	yacht club / sailing club
山岳部	mountaineering club
ゴルフ部	golf club
乗馬部	(horse) riding club
スキー部	ski club
スケート部	skating club
ホッケー部	hockey club
相撲部	sumo wrestling club
空手部	karate club
ボクシング部	boxing club
応援団（部）	cheering squad (club)

部活動：文化部	
演劇部	drama club
美術部	art club
放送部	school radio club
囲碁部	igo club
将棋部	shogi club
ESS	English Speaking Society
英語部	English club
吹奏楽部	brass band club / wind orchestral club
合唱部	(school) choir
軽音楽部	band (club) / light music club
化学部	chemistry club
科学部	science club
天文部	astronomy club
文芸部	literary club
華道部	Japanese flower arrangement club
コンピュータ部	computer club
茶道部	Japanese tea ceremony club
手芸部	handicraft club
書道部	calligraphy club
新聞部	newspaper club
生物部	biology club
調理部	cooking club
アニメ部	anime club
映画研究会	movie club
漫画研究会	manga / cartoon club
落語研究会	rakugo club

■ 例2　教育の役割　The Role of Educationの日本語訳

おはようございます。私は山田太郎です。今日はこの場に立てて光栄です。今日の私のプレゼンテーションの題材は「教育の役割」です。

あなたは「教育」と聞いた時何を思い浮かべますか。難しい数学の宿題とか先生の険しい顔を思い浮かべるかもしれませんね。オックスフォード・アドバンスド・ラーナーズ辞書でその定義を見てみましょう。御覧の通り、「教育」とは「知識を高めたり技能を高めたりするため、特に学校や大学で、教えたり、訓練したり、学んだりする過程」のことです。教育は私たちと地球上の他の動物を区別する絶大な力を持っていると私は考えます。教育はまた様々な点で私たち個々に利益を与えてくれます。では、教育の３つの役割についてお話ししたいと思います。

第1に、教育は私たちの技能を向上させ、将来の成功の可能性を高める手助けをしてくれるものです。教育は生活の質を高める就業機会を与えてくれます。十分な教育のお蔭で、私たちは生活のために誰か他の人に頼らなくてもよいのです。

第２に、教育は私たちの社会発展のカギとなるものです。スクリーンの表を見てください。これは数か国の識字率を示しています。これらの国々は後発開発途上国に属しています。教育は貧困をなくす最も重要なツールであるということができます。私たちは義務教育の恩恵を受けるのを当然だと思っています。しかし、それはすべての国で当たり前ということではないのです。私たちは教育の重要性を認識しなければなりません。

第３に教育は基本的人権の一つです。私は、2014年にノーベル平和賞を受賞したマララ・ユスフザイさんによって行われた、「ちょっとの間子供になってみて」というスピーチについて学びました。彼女のスピーチを聴いて、進行中の悲劇的な衝突や戦争により、2800万人の子どもたちが学校に通えていないということを知りました。私はまた、アフガニスタンの３人の少女が学校に通ったという「罪」で、テロリスト達によって顔に酸をかけられるという悲劇的な出来事を知って、本当に驚きました。そのような悲しい出来事が起こったことを私は信じられませんでしたが、同時に、子供たちが自由に、そして平等に教育を受けることができる平和な社会を実現する緊急の必要性を感じました。

結論として、教育は私たちに様々な種類の知識や技能を与えてくれ、私たちの能力を高め、よりよい職に就けてくれます。一人の人間の個人的な成長は、ひいては国の経済成長の改善につながるのです。より良い社会を築くため、私たちは教育の価値を見直し、教育を基本的人権として尊重しなければなりません。

御清聴ありがとうございました。

■ 例3　空き家問題にどう取り組むべきか
What should we do to solve the 'Akiya' problem?　の日本語訳

皆さん、こんにちは。私は藤代昇丈です。ここ中国学園高校の２年生です。理数科に所属しています。今日はお越しいただきありがとうございます。

日本の「幽霊」空き家についてお話ししたいと思います。この「幽霊」空き家とは日本語では「空き家」と呼ばれています。日本にどれくらい空き家があるのか知っていますか。私はその数字を見て本当に驚きました。答えは8億4600万です。

今日は、日本になぜそんなに多くの空き家があるのかという主な理由について話すことから始め、次に、空き家でどんな問題が起こるのか、空き家問題を解決する際に何が障害となるのかについてお話しします。最後に、この問題を解決するのに日本は何をすべきかについて私の意見を述べたいと思います。

では、本論に入りたいと思います。

まず、なぜ多くの空き家が日本中にあるのかという理由についてお話ししたいと思います。「空き家」とは相続人や新しい借家人がいない放棄された家のことです。ではなぜ家は放棄されたのでしょうか。

３つ主な理由があると私は思います。第１の理由は空き家の高額な維持費です。あなたの両親が他界した場合、あなたが両親の財産を相続することになります。しかし、もしあなたが結婚していて、すでに自分の家を所有している場合は、あなたは相続した第２の家の固定資産税や維持するための余分なお金を支払わなければならないでしょう。そのため、多くの人は家を相続したがらないわけで、やむを得ず相続した場合、相続した家を放棄してしまうことになるのです。

第２の理由は、地域の過疎化です。スライドの図１を見てください。この地図は空き家率を示しています。一番高い空き家率は山梨県の20.3%、２番目に高いのが長野県の19.5%です。徳島県と高知県の空き家率も高くなっています。

若い世代はたくさんの機会に恵まれている都会に住みたいと願います。この人口移動もまた、日本の地方に多くの空き家を生み出す理由の内の一つなのです。

第3の理由は経済変動です。スライドの図2を見てください。折れ線グラフは空き家率の変動を示しており、縦棒グラフは空き家の数を示しています。空き家率は急速な戦後の経済成長により上昇し、1980年代後期と1990年代初期のバブル景気が崩壊したことにより、11.5%まで急増しました。このグラフに見られるように、日本の空き家率は上昇し続けています。

さらに、もし空き家問題の解決に向けて私たちが何もしなかったらどんなことが起こるのでしょうか。どんな問題がそれによって引き起こされるのでしょうか。大抵の空き家は建って数十年経過しているので、古い木造家屋でしたら既に損傷を受けていて、大きな台風や地震には耐えられそうにありません。もし、倒壊したら、他人に深刻な被害を及ぼすかもしれません。また、空き家は治安の悪化を引き起こすかもしれないのです。今こそ、その解決法について考えなければなりません。

また、空き家問題を解決しようとした時、何が障害なのでしょうか。当局は一般に、許可を取るべき所有者を特定することなしに、空き家の改修や取り壊しを強いることはできなくなっています。ただ所有者を見つけ出し、彼らから許可を取ることは極めて難しく、多くの時間を要するのです。それが極めて大きな障害です。新しい法律である、「空家等対策の推進に関する特別措置法」が2015年に施行されました。この法律がこの問題解決に効果を発揮することを期待しています。

結論として、私は空き家問題は解決すべき緊急の課題だと思います。私の意見としては、特定の空き家が危険だと判断されたら、空き家の所有者に改修または取り壊しを強いることのできる強い権限を日本政府は持つべきだと考えます。そして、もし所有者が所定の期間内にそうできなかった場合、日本政府がその財産を強制的に買収し、速やかに取り壊しを行うべきです。もちろん、私たちの個人の財産権は極めて重要であること私も思います。しかし、そうしなければ、いつまでたってもこの空き家問題は解決しないでしょう。

御清聴ありがとうございました。

おわりに

本書を執筆するきっかけは、高校生や学生に合った分かりやすいプレゼンテーションの指南書を作りたいという熱い思いからであった。高校生に向かって話すときのように極力分かりやすい解説を心掛けたつもりであるが、いかがだっただろうか。高等学校の新学習指導要領に「論理・表現Ⅰ・Ⅱ・Ⅲ」という新科目が登場することになったが、ますますこれからもプレゼンテーション力は、身に付けるべき大切な生きる力の一つとして重視されていくことだろう。本書が皆様のプレゼンテーション力醸成のお役に立てるのであれば、筆者にとってこの上ない幸せである。大いに活用していただきたい。

世の中には、外交的な人、内向的な人、様々な性格の人が存在する。話し手の立場で考えた時、外交的な人ほど他人の前で話す際の心理的な敷居は低いと考えられる。それに対し、内向的な人にとって、「みんなの前でプレゼンをしてください」と言われることほど恐ろしいことはない。つまり、話し出すまでに相当の勇気と度胸が必要となるわけである。しかし、今の時代、誰もその機会を避けては通れず、同じようにプレゼン発表の機会は訪れる。そんな時に事前準備の助けになり、ひいてはそれが自信となって、プレゼンテーションを行うことへの敷居が低くなるような、皆様の背中を押せるような存在に本書がなればと願っている。

本書のタイトルは「英語プレゼンのトリセツ」であるが、このタイトルにも筆者の思いが詰まっている。「トリセツ」はもちろん「取扱説明書」の意味であるが、筆者が大ファンであるアーティスト「西野カナ」氏の代表的な楽曲名でもある。この楽曲は女性が自分を選んでくれた彼氏に対して、こういう点に気を付けてくださいと注意点を列挙する歌詞が印象的である。本書の場合は、プレゼンテーションをこれから学ぶ高校生や学生、またはその指導者に当たる読者に、プレゼンテーションの前に、注意点が書かれたこの取扱説明書をよく読んで、効果的で心が伝わるプレゼンテーションを作ってほしいという気持ちを込めている。多くの人に受け入れられた「トリセツ」という楽曲のように本書も多くの人に寄り添い、受け入れられることを願うとともに、プレゼンテーションを学ぶ際に、楽しく取り組め、参考にできる身近な書になることを切に祈っている。

最後に本書の出版に当たり、各種許諾申請や編集、校正において、御助力いただいた日本橋出版の皆様に厚く感謝の意を表したい。

令和2年5月10日

藤代 昇丈

引用・参考文献

青野仲達（2016）欧米人を論理的に説得するためのハーバード式ロジカル英語．株式会社秀和システム，東京

浅井宗海（2005）プレゼンテーションと効果的な表現 話の目的から考える表現技法．株式会社エスシーシー（SCC），東京．

文化庁（2020）著作権．https://www.bunka.go.jp/seisaku/chosakuken/index.html （Retrieved May 2, 2020）

文化庁（2020）著作権なるほど質問箱．https://pf.bunka.go.jp/chosaku/chosakuken/naruhodo/index.asp （Retrieved May 2, 2020）

文化庁（2020）教育の情報化の推進のための著作権法改正の概要．https://www.bunka.go.jp/seisaku/chosakuken/hokaisei/h30_hokaisei/pdf/r1406693_14.pdf （Retrieved May 2, 2020）

Carmine Gallo, 井口耕二訳（2016）ビジネスと人を動かす 驚異のストーリープレゼン．日経BP社，東京．

David A. Thayne, Mark J. Spoon（2004）プレゼンテーションの英語表現．日本経済新聞出版社，東京．

Doug Malouf, 吉田新一郎訳（2003）最高のプレゼンテーション－心をつかむ見せ方、話し方．PHP研究所，東京．

藤尾美佐（2016）20ステップで学ぶ 日本人だからこそできる英語プレゼンテーション．株式会社DHC，東京．

平井孝志，渡部高士（2012）ビジュアル ロジカル・シンキング．日本経済新聞出版社，東京．

堀公俊（2014）ビジュアル アイデア発想フレームワーク．日本経済新聞出版社，東京．

Jeremey Donovan, 中西真雄美訳（2013）TEDトーク　世界最高のプレゼン術．株式会社新潮社，東京．

影戸誠（2020）必携!学生のための英語プレゼンテーション例文．http://www.kageto.jp/en/must/index.html （Retrieved May 2, 2020）

上出鴻子，上出洋介（2013）実践で役立つ‼英語プレゼンテクニック．丸善出版株式会社，東京．

木幡健一（2002）「プレゼンテーション」に強くなる本 論理の組み立て方から効果的なアピール術まで．PHP研究所，東京．

国際プレゼンテーション協会 (2020) プレゼンテーションって何？ http://www.npo-presentation.org/d001/page.php　(Retrieved May 2, 2020)

Mark D. Stafford (2012) Successful Presentations − An Interactive Guide. センゲージ ラーニング株式会社, 東京.

文部科学省 (2018) 高等学校学習指導要領(平成30年告示)解説外国語編英語編. https://www.mext.go.jp/content/1407073_09_1_2.pdf (Retrieved May 2, 2020)

長尾和夫, Andy Boerger (2016) 英語で話す力。141のサンプル・スピーチで鍛える!. 株式会社三修社, 東京.

Philip Deane, Kevin Reynolds (2002) 英語プレゼンテーションの基本スキル－グレートプレゼンターへの道－. (株)朝日出版社, 東京.

総務省統計局 (2019) 平成30年住宅・土地統計調査. https://www.stat.go.jp/data/jyutaku/index.html　(Retrieved May 2, 2020)

総務省統計局 (2020) 世界の統計2020. https://www.stat.go.jp/data/sekai/0116.html#c15Countries　(Retrieved May 2, 2020)

杉田敏 (2002) 人を動かす！話す技術. PHP研究所, 東京.

竹村和浩 (2014) 6ステップでだれでもできる！プロの英語プレゼン. (株)中央経済社, 東京.

妻鳥千鶴子 (2004) CD BOOK 英語プレゼンテーションすぐに使える技術と表現. ベレ出版, 東京.

八幡紕芦史 (2016) [新版] パーフェクト・プレゼンテーション. アクセス・ビジネス・コンサルティング株式会社, 東京.

山﨑紅 (2002) 説得できるプレゼンの鉄則＜PowerPoint上級極意編＞. 日経BP社, 東京.

山本御稔 (2011) プレゼンテーションの技術. 日本経済新聞社, 東京.

■ 参考楽曲

‘トリセツ’ (2015) 作詞：Kana Nishino　作曲：DJ Mass (VIVID Neon*)・Shoko Mochiyama・etsuco.

▶著者略歴

藤代 昇丈（ふじしろ のりたけ）
博士(学術) 中国学園大学国際教養学部准教授

1968年生まれ。岡山県出身。
1991年岡山大学教育学部卒業後、岡山県立高等学校で外国語（英語）科教諭として勤務。2004年より岡山県情報教育センター指導主事、2007年より岡山県総合教育センター指導主事として教員研修及び教育研究に従事。この間、岡山理科大学大学院 総合情報研究科 博士課程（後期）数理・環境システム専攻に入学し、中等教育におけるブレンド型授業による英語運用能力の向上に関する研究を行う。2009年に同課程を修了し、博士（学術）の学位を取得。
2015年4月に中国短期大学英語コミュニケーション学科講師、2015年9月に中国学園大学国際教養学部講師を経て、2019年4月より現職。「英語Ⅰ・Ⅱ」「英語プレゼンテーション」「教育実習研究（高）」等の講義を担当。教育システム情報学会 中国支部幹事、日本教育工学会、日本教育実践学会、全国語学教育学会、プレゼンテーション教育学会、各会員。著書に「eラーニングからブレンディッドラーニングへ」（共著・共立出版）、「歌いたくなる英語 Let's Enjoy 'Englyrix' ™ – English through Song Lyrics」（単著・東京図書出版）がある。iPhone・iPad用音声再生録音アプリ「$Qyur^2$（キュルキュルプレーヤー）® 」を株式会社グラブデザインと共同開発。

英語プレゼンのトリセツ

2020年11月2日　第1刷発行

著　者　藤代 昇丈
発行者　日本橋出版
〒103-0023　東京都中央区日本橋本町2-3-15　共同ビル新本町5階
電話：03-6273-2638
URL：https://nihonbashi-pub.co.jp/
発売元　星雲社（共同出版社・流通責任出版社）
〒102-0005　東京都文京区水道1-3-30
電話：03-3868-3275

ISBN978-4-434-27950-8 C0034